Meu ano de descanso
e relaxamento

Ottessa Moshfegh

Meu ano de descanso
e relaxamento

tradução
Juliana Cunha

todavia

Para Luke.
Meu único. Meu tudo.

Se você é esperto ou rico ou tem sorte,
Talvez derrote as leis do homem
Mas com as leis internas do espírito
E as leis externas da natureza
Ninguém pode
Não, ninguém pode...

"The Wolf That Lives in Lindsey", Joni Mitchell

Um

Assim que acordava, de dia ou de noite, eu corria pela entrada de mármore brilhante do prédio e ia até a esquina, onde havia um bar que nunca fechava. Pedia dois cafés com creme grandes, cada copo com seis pedrinhas de açúcar, e já entornava o primeiro no elevador ao voltar para casa, depois engolia o segundo assistindo filmes e comendo biscoito em forma de bichinho. Em seguida tomava Donaren, Stilnox e Nembutal até adormecer de novo. Foi assim que perdi a noção do tempo. Passavam-se dias. Semanas. Alguns meses iam para o ralo. Lembro que pedia comida no tailandês do outro lado da rua ou salada de atum no restaurante da Primeira Avenida. Acordava e via que tinha mensagens de voz no celular deixadas por salões de beleza e spas confirmando agendamentos que eu havia feito durante o sono. Sempre ligava para cancelar, coisa que eu odiava fazer porque odiava falar com pessoas.

Logo no começo dessa fase, uma vez por semana alguém vinha buscar minha roupa suja e entregava uma remessa de roupa limpa. Era reconfortante ouvir o barulhinho do vento da janela da sala batendo nas sacolas plásticas rasgadas. Eu gostava de sentir o cheiro de roupa lavada enquanto cochilava no sofá. Depois de um tempo, isso de ter que recolher toda a roupa suja e enfiar num saco me pareceu trabalho demais. E o barulho da minha própria máquina de lavar e secar me atrapalhava o sono. Então passei a jogar minhas calcinhas sujas no lixo. Mesmo porque todas elas me lembravam Trevor. Por um tempo, lingeries bregas da Victoria's Secret começaram a chegar pelo correio — tangas fúcsia e verde-limão com babados, bodies e baby-dolls, cada peça lacrada num saco plástico transparente. Guardava as sacolinhas no armário e vestia roupa sem nada por baixo. Volta e meia chegava um pacote da Barneys ou da Saks com pijamas masculinos e outras coisas que eu não lembrava ter comprado — meias de lã, camisetas com estampas gráficas, jeans de marca.

Tomava banho no máximo uma vez por semana. Parei de fazer a sobrancelha, parei de clarear o cabelo, parei de me depilar, parei de fazer escova. Nada de hidratante ou esfoliante. Nada de gilete. Raramente saía de casa. Todas as minhas contas estavam no débito automático. Já tinha programado o pagamento de um ano de impostos do apartamento e da antiga casa dos meus pais, que já haviam morrido; a casa deles ficava no norte do estado. Os inquilinos de lá depositavam o aluguel na minha conta-corrente todo mês. O seguro-desemprego continuava caindo, desde que eu ligasse semanalmente e apertasse o "1" para dizer "sim" quando o serviço automático perguntasse se eu havia feito um esforço sincero para conseguir um emprego. Isso era o bastante para arcar com a minha parte dos remédios (a outra o plano de saúde pagava) e com o que quer que eu consumisse no bar. Além disso, tinha investimentos. O consultor financeiro do meu finado pai acompanhava isso tudo e me enviava relatórios trimestrais que eu nunca lia. Minha poupança também estava abastecida — o suficiente para me sustentar por alguns anos, desde que eu não fizesse nada de extravagante. Além disso, eu tinha um limite alto no Visa. Dinheiro não era uma preocupação.

Comecei a "hibernar" o máximo que podia em meados de junho de 2000. Estava com vinte e seis anos. Por uma ripa quebrada na persiana vi o verão se dissipar e o outono se tornar frio e acinzentado. Meus músculos definharam. Os lençóis da cama amarelaram, embora em geral eu caísse no sono em frente à TV, no sofá listrado azul e branco da Pottery Barn coberto de manchas de suor e café e com o enchimento já detonado.

Nas horas que estava acordada, eu praticamente assistia filmes. Não aguentava ver TV. Especialmente no começo, a TV mexia demais comigo, eu ficava compulsiva com o controle remoto, clicando em todos os botões, ridicularizando tudo e me enervando. Não conseguia lidar com aquilo. As únicas notícias que lia eram as manchetes sensacionalistas dos jornais locais expostos no bar. Passava o olho por eles enquanto pagava o café que havia pedido. Bush × Al Gore para presidente. Alguém importante morreu, uma criança foi sequestrada, um senador roubou dinheiro, um atleta famoso traiu a esposa grávida. Coisas aconteciam na cidade de Nova York — sempre acontecem —, mas nada disso me afetava. Essa era a beleza do sono — a realidade parecia ter se descolado e surgia na minha mente de modo tão fortuito quanto um filme ou um sonho. Era fácil ignorar o que não me dizia respeito. Funcionários do metrô entraram em greve. Um furacão passou e foi embora. Nada disso importava. Extraterrestres poderiam ter invadido a Terra, gafanhotos poderiam ter infestado o planeta e eu teria ficado sabendo, mas não teria me preocupado.

Quando precisava de mais remédio, eu me aventurava até a Rite Aid, a três quarteirões. Essa parte era sempre dolorosa. Subindo a Primeira Avenida, tudo me fazia estremecer. Era como um bebê saindo do ventre materno — o ar machucava, a luz machucava, os detalhes do mundo se revelavam espalhafatosos e hostis. Eu só bebia quando me arriscava nessas incursões — uma dose de vodca antes de sair e passar em frente a todos os bistrôs e cafés e lojas que eu frequentava quando estava por aí, fingindo ter uma vida. Nos outros dias, buscava me limitar a um raio de um quarteirão de casa.

Os homens que trabalhavam no bar eram todos jovens egípcios. Além da minha psiquiatra, a dra. Tuttle, da minha amiga Reva e dos porteiros do prédio, os egípcios eram as únicas pessoas que eu via com frequência. Eles eram relativamente bonitos, uns mais que os outros. Tinham o rosto quadrado e uma testa masculina, sobrancelhas grossas e fartas. E todos pareciam passar kajal. Eram uma meia dúzia — irmãos ou primos, presumi. O estilo deles me desanimava. Usavam camisetas de futebol, jaquetas de couro e correntes de ouro com cruzes e ouviam a Z100. Não tinham nenhum senso de humor. Quando me mudei para o bairro, ficavam me bajulando, de um jeito até um pouco irritante. Mas, assim que comecei a me arrastar pela rua, com remela nos olhos e pasta de dente no canto da boca, em horas estranhas do dia, desistiram de querer me adular.

"Você tem uma coisa aqui", disse o homem atrás do balcão certa manhã, apontando para o próprio queixo com longos dedos marrons. Fiz um gesto de "deixa pra lá". Mais tarde descobri que minha cara inteira estava suja de pasta de dente.

Depois de alguns meses de compras desleixadas e semiadormecidas, os egípcios começaram a me chamar de "doutora" e logo aceitavam meus cinquenta centavos quando eu pedia um cigarro solto, o que acontecia com frequência. Eu podia ir a mil cafés, mas gostava daquele bar. Era perto, o café era sempre ruim e eu não esbarrava em ninguém pedindo um brioche ou um latte sem espuma. Lá não havia crianças catarrentas ou babás suecas. Nada de profissionais meticulosamente limpos ou casais num primeiro encontro. Aquele bar era um café da classe trabalhadora — café para porteiros, entregadores, trabalhadores braçais, garçons e empregadas domésticas. Lá dentro o ar era pesado de bolor e detergente barato. Eu podia me servir do freezer embaçado cheio de sorvetes, picolés e copos plásticos com gelo. Os mostruários de acrílico transparente sobre o balcão estavam entuchados de chicletes e doces. Era tudo sempre igual: cigarros enfileirados de maneira organizada, montinhos de raspadinhas, doze marcas de água mineral, cerveja, pão de fôrma, uma gaveta com carnes e queijos que ninguém jamais comprou, uma bandeja de pãezinhos portugueses, uma cesta de frutas embrulhadas em filme plástico, uma parede inteira repleta de revistas que eu evitava. Não queria ler mais que as manchetes dos jornais. Fugia de qualquer coisa que pudesse despertar meu intelecto ou me deixar com inveja ou ansiosa. Mantinha a cabeça baixa.

De vez em quando Reva aparecia lá em casa com uma garrafa de vinho e insistia em me fazer companhia. Sua mãe estava morrendo de câncer. Essa, entre outras, era uma das razões que me tiravam a vontade de encontrá-la.

"Esqueceu que eu viria?", perguntou Reva, me afastando para entrar na sala e acender as luzes. "A gente se falou ontem à noite, lembra?"

Gostava de ligar para Reva assim que o Stilnox batia. Ou o Gardenal, ou o que quer que fosse. Segundo ela, eu só queria falar do Harrison Ford ou da Whoopi Goldberg, o que pra ela era o.k. "Ontem à noite você me contou a história inteira de *Busca frenética*. E detalhou a cena em que eles estão dirigindo no carro com cocaína. Você não parava."

"Emmanuelle Seigner está incrível nesse filme."

"Foi exatamente o que você disse ontem à noite."

Eu ficava irritada e ao mesmo tempo aliviada quando Reva aparecia, como a gente fica quando alguém chega bem na hora que estamos nos suicidando. Não que eu estivesse me suicidando. Na verdade era o oposto de um suicídio. Minha hibernação era uma medida de autopreservação. Eu achava que aquilo salvaria minha vida.

"Agora, já pro banho", dizia Reva, indo até a cozinha. "Vou levar o lixo pra fora."

Eu já gostei da Reva, mas não gostava mais. Nós éramos amigas desde a faculdade, o que significava tempo suficiente para que a única coisa em comum que nos restasse fosse nossa história juntas, uma história formada por um circuito complexo de ressentimento, memória, inveja, negação e por alguns vestidos que emprestei e que ela prometeu lavar e devolver mas nunca o fez. Ela trabalhava como assistente executiva numa corretora de seguros em Midtown. Era filha única, rata de academia, tinha uma marca de nascença avermelhada no pescoço no formato do mapa da Flórida e o hábito de mascar chiclete que lhe causava uma disfunção temporomandibular e lhe deixava um hálito de canela e maçã verde. Ela gostava de vir até minha casa, afastar o que quer que estivesse na poltrona onde queria sentar e falar sobre o estado do meu apartamento, dizer que eu parecia ter emagrecido ainda mais e reclamar do trabalho enquanto reabastecia sua taça de vinho após cada gole.

"As pessoas não entendem o meu lado", ela disse. "Elas dão de barato que eu tenho de estar sempre bem-humorada. Enquanto isso, esses idiotas pensam que podem sair por aí tratando como merda todo mundo abaixo deles. E devo sorrir e parecer fofa e enviar os fax deles? Fodam-se. Quero mais é que fiquem carecas e queimem no inferno."

Reva estava tendo um caso com seu chefe, Ken, um homem de meia-idade com mulher e filho. Ela não escondia sua obsessão por ele, mas tentou abafar que estavam transando. Uma vez me mostrou uma foto dele num folheto da empresa — alto, ombros largos, camisa branca, gravata azul, rosto tão genérico, tão entediante que ele próprio poderia ser feito de plástico. Assim como eu, Reva tinha uma quedinha por homens mais velhos. Homens da nossa idade, ela dizia, eram muito sentimentais, carinhosos demais, carentes demais. Eu conseguia entender seu julgamento negativo, mas nunca conheci um homem assim. Todos com quem já estive, tanto jovens quanto velhos, foram desinteressados e hostis.

"Você tem um coração de pedra, é por isso", Reva explicou. "Os iguais se atraem."

Como amiga, Reva era de fato melodramática, afetuosa e carente, mas também muito reservada e, vez ou outra, bastante mandona. Ela não conseguia ou simplesmente não poderia *entender* por que eu queria dormir o tempo todo, e estava sempre me esfregando na cara, do alto de seu pedestal moral, que era para eu "encarar os fatos", se referindo ao meu mau hábito da vez. No verão em que comecei a dormir, Reva me repreendeu por "jogar fora meu corpo perfeito". "Fumar *mata*." "Você deveria sair mais." "Você está comendo proteína o suficiente?" Etc.

"Não sou criança, Reva."

"Só estou preocupada com você. Porque eu me importo. Porque eu *te amo*", dizia.

Desde que nos conhecemos, no primeiro ano da faculdade, Reva era do tipo que não admitia um desejo que fosse remotamente desagradável. Pelo menos se estivesse sóbria. Mas ela não era perfeita. "Ela não é nenhuma santa", como diria minha mãe. Eu sabia havia anos que Reva era bulímica. Sabia que ela se masturbava com um massageador de pescoço porque tinha vergonha de comprar um vibrador de verdade numa sex shop. Sabia que estava extremamente endividada por causa de um empréstimo que pegou para pagar a faculdade e por anos estourando o limite do cartão de crédito, e que furtava provadores da seção de beleza da loja de alimentos saudáveis perto de seu apartamento no Upper West Side. Eu tinha visto a etiqueta "Teste" colada em vários produtos que ela guardava num nécessaire enorme que carregava pra cima e pra baixo. Era uma escrava da vaidade e do status, o que não era nada incomum num lugar como Manhattan, mas eu achava seu desespero especialmente irritante. Isso não me ajudava a respeitar sua inteligência. Ela era obcecada por marcas, por estar dentro dos conformes, por "se encaixar". Batia ponto em Chinatown para comprar as últimas bolsas de grife. Uma vez me deu de Natal uma carteira Dooney & Bourke. Comprou chaveiros falsos da Coach pra nós duas, iguaizinhos.

Ironicamente, seu desejo de ser elegante sempre a impediu de ser elegante. "Estudar estilo não é o mesmo que ter estilo", tentei explicar. "Charme não é um corte de cabelo. Ou você tem ou você não tem. Quanto mais você se esforçar para parecer moderna, mais cafona você vai parecer." Nada a machucava mais do que uma beleza sem esforço, como a minha. Um dia, quando assistíamos *Antes do amanhecer* no VHS, ela disse: "Você sabia que a Julie Delpy é feminista? Fico me perguntando se é por isso que ela não é tão magra. Eles nunca dariam esse papel pra ela se fosse americana. Olha o braço dela, é uma geleia. Aqui ninguém tolera braço flácido. Um braço mole é a sua ruína. É como a faculdade. Você nem existe se não se matricular em nenhuma."

"Você fica feliz por saber que Julie Delpy tem o braço flácido?", perguntei.

"Não", ela disse depois de refletir. "Não chamaria isso de felicidade, é mais como uma *satisfação*."

Inveja era algo que Reva achava desnecessário esconder de mim. Desde que nos tornamos amigas, toda vez que eu contava algo bom que tivesse me acontecido, ela choramingava um "não é justo" que foi se tornando tão frequente a ponto de virar uma espécie de bordão que ela disparava sem se dar conta, sem alterar o tom de voz. Uma resposta automática a uma nota alta que eu tivesse tirado, um batom novo, um picolé, um corte de cabelo caro que eu tivesse feito. "Não é justo." Eu fazia uma cruz com os dedos e mostrava pra ela, como que me protegendo da sua inveja e raiva. Uma vez perguntei se toda aquela inveja era porque ela era judia, se achava que as coisas eram mais fáceis pra mim por eu ser anglo-saxã e protestante.

"Não é por eu ser judia", lembro que ela disse. Isso foi perto da nossa formatura, quando entrei na lista de melhores alunos que o reitor da faculdade elaborou, apesar de ter faltado a mais da metade das aulas do último ano, enquanto Reva tinha bombado na monografia final. "É porque sou gorda." Ela na verdade não era. Era muito bonita, de fato.

"Queria que você cuidasse melhor de si mesma", me disse Reva numa de suas visitas, eu naquele estado de semiacordada. "Não posso fazer isso por você, você sabe disso. Por que você gosta tanto da Whoopi Goldberg? Ela não é nem engraçada. Você precisa assistir filmes que vão te colocar pra cima. Tipo *Austin Powers*. Ou aquele com a Julia Roberts e o Hugh Grant. Você está igual à Winona Ryder em *Garota, interrompida*, embora se pareça mais com a Angelina Jolie. Ela está loira nesse filme."

Era assim que ela expressava sua preocupação com o meu bem-estar. Ela também não gostava que eu estivesse "usando drogas".

"Você realmente não devia misturar álcool com todos esses remédios", disse Reva, terminando o vinho. Deixei que ela bebesse tudo sozinha. Na faculdade, Reva se referia à sua peregrinação pelos bares como "ir à terapia". Matava um Whiskey Sour numa golada e tomava um Advil entre um drinque e outro. Dizia que isso mantinha sua tolerância ao álcool. Provavelmente ela seria diagnosticada como alcoólatra. Mas estava certa a meu respeito: eu *estava* "usando drogas". Tomava mais de uma dúzia de comprimidos por dia. Porém, tudo estava nos conformes. Tudo com receita. Eu só queria dormir o tempo todo. Era esse meu plano.

"Não sou uma crackeira nem nada assim", respondi na defensiva. "Estou tirando um tempo pra mim. Este é meu ano de descanso e relaxamento."

"Sorte sua", disse Reva. "Eu não me importaria em tirar uma folga do trabalho para andar por aí, ver filmes e dormir o dia todo, mas não estou reclamando, só não posso me dar ao luxo." Uma vez bêbada, ela botava os pés em cima da mesinha de centro, jogando no chão minhas roupas sujas e as correspondências fechadas, e se punha a falar de Ken e me atualizar sobre o mais novo episódio da novela *Romance na empresa*. Ela se gabava de todas as coisas divertidas que faria no fim de semana, reclamava de ter saído do regime da vez e de, por isso, ter feito hora extra na academia, para compensar. E às vezes começava a chorar por causa da mãe. "Simplesmente não consigo mais falar com ela como antes. Estou tão triste, me sentindo tão abandonada. Me sinto muito, muito sozinha."

"Estamos todos sozinhos, Reva", eu dizia. E era verdade: eu estava, ela estava. Era o máximo de conforto que eu podia oferecer.

"Sei que tenho que me preparar para o pior em relação à minha mãe. O prognóstico não é bom. E acho que não estou nem cem por cento informada sobre o câncer dela. Isso me deixa desesperada. Queria que tivesse alguém pra me abraçar, sabe? Não é patético?"

"Você é carente." respondi. "Pra baixo."

"E ainda tem o Ken. Eu simplesmente não aguento. Prefiro me matar a ficar sozinha", disse.

"Pelo menos você tem opções."

Quando eu estava a fim, pedíamos salada no restaurante tailandês e assistíamos alguma coisa no pay-per-view. Eu preferia meus VHS, mas Reva sempre queria ver qualquer porcaria que fosse "novidade" e que "todo mundo estivesse comentando" e que "devia ser boa". Nessa época ela se orgulhava de ser a grande entendida em cultura pop. Sabia das últimas sobre as celebridades, seguia as tendências do momento. Eu não dava a mínima pra essas coisas. Reva, por outro lado, estudava a *Cosmopolitan* e assistia *Sex and the City*. Era competitiva quando o assunto era beleza ou "sabedoria de vida". E achava que sua inveja fazia todo sentido. Comparada a mim, era "desprivilegiada". E, nos seus termos, tinha razão: eu parecia uma modelo, tinha um dinheiro não merecido, usava roupas de grife de verdade, era formada em história da arte. Já ela era de Long Island, tinha uma aparência nota oito, mas dizia que era "nota três para o padrão de Nova York", e tinha se formado em economia. "O curso do nerd asiático", como ela dizia.

O apartamento de Reva ficava no terceiro andar de um prédio sem elevador e cheirava a roupa de ginástica suada, batata frita, desinfetante e perfume Tommy Girl. Embora ela tivesse me dado uma cópia das chaves assim que se mudou, eu só tinha ido lá duas vezes em cinco anos. Ela preferia ir à minha casa. Acho que gostava de ser reconhecida pelo porteiro do meu prédio, subir naquele elevador chique com botões dourados e observar quanto eu desperdiçava todos aqueles luxos. Não sei qual era a de Reva. Eu não conseguia me livrar dela. Ela me adorava mas também me odiava. Via minha batalha contra a depressão como uma paródia cruel de sua própria desgraça. Eu havia escolhido minha solidão e falta de propósito, e ela, apesar de seu trabalho árduo, simplesmente fracassou em obter o que sempre quis — sem marido, sem filhos, sem uma carreira fabulosa. Por isso, quando comecei a dormir o tempo todo, acho que ela sentiu certa satisfação em me ver desmoronar e me tornar a preguiçosa inútil que esperava que eu estivesse me tornando. Não estava interessada em competir com ela, mas no começo eu me ressentia, então nós discutíamos. Imagino que ter uma irmã seja mais ou menos assim, uma pessoa que te ama o suficiente para apontar todas as suas falhas. Mesmo nos fins de semana, quando ficava até mais tarde, ela se recusava a dormir lá. Não que eu quisesse, mas ela sempre fazia uma cena, como se tivesse responsabilidades que eu jamais entenderia.

Certa noite tirei uma polaroide dela e prendi na moldura do espelho, na sala de estar. Reva pensou que fosse um gesto afetivo, mas na verdade era um lembrete de como eu não gostava de sua companhia. Queria olhar para aquilo quando estivesse sob o efeito de remédios e sentisse vontade de ligar pra ela.

"Vou te emprestar meus CDs estimuladores de autoconfiança", era o que dizia caso eu aludisse a qualquer problema ou preocupação.

Reva era chegada a livros e cursos de autoajuda que, sob o pretexto de ensinar jovens mulheres a "viver seu pleno potencial", geralmente associavam alguma dieta ao desenvolvimento de habilidades propiciatórias de sucesso profissional e romântico. A cada poucas semanas ela aparecia com um novo paradigma a respeito de como levar a vida, e eu tinha que ouvir. "Você precisa saber reconhecer quando está cansada", ela me aconselhou certa vez. "Hoje em dia muitas mulheres acabam se sobrecarregando." Uma dica que *Tire o máximo do seu dia, garotas* dá é que você deve fazer um planejamento de tudo o que vai vestir durante a semana ainda no domingo à noite.

"Assim você não perde tempo de manhã se perguntando o que usar."

Eu odiava quando ela falava desse jeito, juro.

"Vamos ao Saints. É a noite das meninas. Mulheres bebem de graça até as onze. Você vai se sentir bem melhor." Ela era especialista em transformar conselhos enlatados em desculpa para beber até entrar em amnésia alcoólica.

"Não estou a fim de sair, Reva", respondi.

Ela olhou para as próprias mãos, brincou com os anéis, coçou o pescoço, depois olhou para o chão.

"Sinto sua falta", ela disse, com a voz falhando. Talvez pensasse que essas palavras amoleceriam meu coração. Eu estava me entupindo de Nembutal o dia todo.

"Acho que não devíamos mais ser amigas", eu disse, me estendendo no sofá. "Estive pensando sobre isso e não vejo razão pra continuar."

Reva continuou sentada, pressionando as mãos contra a coxa. Depois de um ou dois minutos de silêncio, olhou para mim e colocou o dedo sob o nariz do jeito que costumava fazer quando estava prestes a chorar. Seu dedo formava um bigodinho de Hitler. Cobri minha cabeça com o pulôver e cerrei os dentes tentando não rir enquanto ela gaguejava, choramingava e tentava se recompor.

"Sou sua melhor amiga", ela disse, com um ar melancólico. "Você não pode me excluir da sua vida. Isso seria muito autodestrutivo."

Puxei o pulôver para baixo para dar uma tragada no cigarro. Ela afastou a fumaça do rosto e fingiu tossir. Então se virou para mim. Tentava criar coragem estabelecendo contato visual com o inimigo. Eu podia ver o medo em seus olhos, como se ela estivesse olhando para um buraco negro em que pudesse cair.

"Pelo menos estou me esforçando para mudar e ir atrás do que eu quero", ela disse. "Além de dormir, o que *você* quer da vida?"

Escolhi ignorar seu sarcasmo.

"Queria ser artista, mas não tenho talento", respondi.

"Precisa mesmo de talento?"

Essa deve ter sido a coisa mais inteligente que Reva já me disse.

"*Sim*", repliquei.

Ela levantou e saiu batendo os calcanhares, fechando a porta com delicadeza. Peguei uns Frontais, comi uns biscoitos de bichinho e encarei o assento enrugado da poltrona vazia. Depois levantei, coloquei *O jogo da paixão* e assisti sem entusiasmo enquanto cochilava no sofá.

Reva me ligou meia hora depois e deixou uma mensagem de voz dizendo que já havia me perdoado por eu ter ferido seus sentimentos, que estava preocupada com a minha saúde, que me amava e não me abandonaria, "não importa o que aconteça". Meu queixo relaxou escutando aquela mensagem, como se eu tivesse rangido os dentes por dias a fio. Talvez eu de fato tivesse feito isso. Fiquei imaginando Reva fungando por entre as gôndolas de um supermercado qualquer, escolhendo o que iria comer e depois vomitar. Sua lealdade era absurda. Foi isso que manteve a nossa amizade.

"Você vai ficar bem", foi o que eu disse quando ela me contou que a mãe estava começando uma terceira fase de quimioterapia.

"Não surte", foi o que falei quando o câncer da sua mãe se espalhou para o cérebro.

Não consigo reconhecer nada que justifique minha decisão de hibernar. No começo, eu só queria uns tranquilizantes para abafar meus pensamentos e juízos, já que o bombardeio constante tornava difícil a tarefa de não odiar a tudo e a todos. Achava que a vida seria mais tolerável se meu cérebro demorasse um pouco mais para condenar o mundo ao meu redor. Procurei a dra. Tuttle em janeiro de 2000. As coisas começaram de um jeito muito inocente: eu estava atormentada com minha infelicidade, minha ansiedade e o desejo de escapar da prisão da minha mente e do meu corpo. A dra. Tuttle me garantiu que isso não era nada incomum. Ela não era uma boa médica. Achei seu número na lista telefônica.

"Você me pegou numa boa hora", ela disse da primeira vez que liguei. "Acabei de lavar a louça. Onde você encontrou o meu número?"

"Nas páginas amarelas."

Gostava de pensar que havia escolhido a dra. Tuttle ao acaso, que nosso relacionamento estava escrito nas estrelas, de algum modo divino, mas na verdade ela havia sido a única psiquiatra a atender o telefone às onze da noite de uma terça-feira.

Eu já tinha deixado uma dúzia de mensagens em diversas secretárias eletrônicas quando ela atendeu.

"A maior ameaça ao cérebro hoje em dia é o micro-ondas", explicou a dra. Tuttle pelo telefone naquela noite. "Micro-ondas, ondas de rádio. Agora tem essas torres de celular bombardeando a gente em sabe-se lá que tipo de frequência. Mas esse não é o meu campo. Eu lido com o tratamento de doenças mentais. Você trabalha para a polícia?", ela me perguntou.

"Não, trabalho com negócios de arte em uma galeria no Chelsea."

"Você é do FBI?"

"Não."

"Da CIA?"

"Não, por quê?"

"Preciso fazer essas perguntas. Você é do Departamento de Narcóticos? Da Agência de Produtos Alimentares e Medicamentos? Do Departamento Federal de Saúde? Da União de Seguros? É uma detetive particular contratada por alguma entidade privada ou governamental? Trabalha para algum plano de saúde? É traficante de drogas? Viciada em drogas? Você é médica? Estudante de medicina? Está tentando conseguir remédios para um namorado ou empregador abusivo? É da Nasa?"

"Acho que tenho insônia. Esse é meu principal problema."

"Aposto que também é viciada em cafeína, acertei?"

"Não sei."

"É melhor continuar tomando. Se parar agora, vai ficar louca. Quem tem insônia de verdade costuma sofrer alucinações, perder a noção do tempo e ter uma memória ruim. Isso pode tornar a vida bem confusa. Acha que é esse o seu caso?"

"Às vezes me sinto morta", eu disse. "E odeio todo mundo. Significa alguma coisa?"

"Ah, significa. Certamente significa. Tenho certeza de que posso te ajudar. Mas peço aos novos pacientes que façam uma consulta de quinze minutos para a gente ter certeza de que vamos nos dar bem. Grátis. E recomendo a você que anote os dias das consultas. Tenho uma política de cancelamento de até vinte e quatro horas antes da consulta. Sabe aqueles post-its? Compre uns. Vou precisar que você assine alguns termos, algumas declarações. Agora anote."

A dra. Tuttle me disse para ir no dia seguinte, às nove da manhã.

O consultório dela ficava num prédio na rua 13, perto da Union Square. A sala de espera era escura, com painéis de madeira, cheia de móveis vitorianos falsos, brinquedos para gatos, vasos com pot-pourri de velas roxas, coroas de flores roxas mortas e pilhas da *National Geographic* velhas. O banheiro estava cheio de plantas artificiais e penas de pavão. Na pia, ao lado de uma imensa barra de sabonete lilás rachado, havia uma tigelinha de madeira com amendoins sobre uma concha de madrepérola. Isso me desconcertou. Ela escondeu todos os artigos de higiene pessoal numa grande cesta de vime no armário embaixo da pia. Havia vários talcos antifúngicos, uma pomada esteroide vendida com receita, xampu, sabonete e loções que cheiravam a lavanda e violeta. Creme dental de erva-doce. Seu enxaguante bucal também era vendido com receita. Provei, tinha gosto de mar.

Da primeira vez que vi a dra. Tuttle, ela usava um colar cervical por causa de um "acidente de táxi" e segurava um gato obeso que me apresentou como sendo "o meu mais velho". Ela apontou para os pequenos envelopes amarelos na sala de espera. "Quando entrar, escreva seu nome num deles e coloque seu cheque dobradinho dentro. Os pagamentos ficam aqui", ela disse, batendo na caixa de madeira sobre a mesa do consultório. Era o tipo de caixa que tem nas igrejas, aquelas em que o fiel deixa uma contribuição para acender uma vela. O divã desmantelado do consultório estava coberto de pelo de gato e com uma das extremidades cheia de bonecas antigas de porcelana, com o rosto lascado. Em sua mesa havia barras de granola pela metade e recipientes empilhados com uvas e melões em pedaços, um gigantesco computador velho, mais exemplares da *National Geographic*.

"O que te traz aqui?", ela perguntou. "Depressão?" Já havia sacado o receituário.

Meu plano era mentir. Eu havia pensado um bocado sobre isso. Disse que estava com problema para dormir nos últimos seis meses, depois reclamei de desespero e nervosismo em situações sociais. Enquanto recitava meu discurso ensaiado, percebi que era um pouco verdade. Eu não era insone, era infeliz. Me lamuriar para a dra. Tuttle teve um efeito estranhamente libertador.

"Queria um tranquilizante, acho que é isso", disse, com toda franqueza. "E alguma coisa que bloqueasse minha necessidade de companhia. Estou no meu limite", falei. "Pra piorar, sou órfã. E provavelmente sofro de estresse pós-traumático. Minha mãe se matou."

"Como?", perguntou a dra. Tuttle.

"Cortou os pulsos", menti.

"Bom saber."

Seu cabelo era eriçado e vermelho. O colar de espuma que usava em volta do pescoço tinha manchas que pareciam de café e comida, e comprimia a pele do pescoço em direção ao queixo. Seu rosto lembrava um sabujo, a bochecha dobrada e caída, os olhos encovados escondidos sob pequenos óculos de armação de metal com lentes de fundo de garrafa. Nunca dei uma boa analisada nos olhos da dra. Tuttle. Suspeito que refletiam uma certa loucura naquelas íris pretas e brilhantes como as de um corvo. Sua caneta era longa e roxa, e tinha uma pluma roxa na ponta.

"Tanto meu pai quanto minha mãe morreram quando eu estava na faculdade", continuei. "Faz poucos anos."

Ela pareceu me analisar por um momento, sua expressão vazia e tensa. Em seguida se voltou para seu pequeno bloco de receituários.

"Sou muito boa em lidar com planos de saúde", disse com naturalidade. "Sei jogar os joguinhos deles. Você tem dormido pelo menos um *pouco*?"

"Pouquíssimo", respondi.

"Algum sonho?"

"Só pesadelos."

"Imaginei. Dormir é fundamental. A maioria das pessoas precisa de catorze horas ou mais. A era moderna nos obrigou a viver de um jeito que não é natural. Todo mundo ocupado, ocupado, ocupado. Fazer, fazer, fazer. Você provavelmente trabalha demais." Rabiscou por um tempo em seu bloquinho. "*Alegria*", disse a dra. Tuttle. "Gosto mais dela do que de *prazer*. *Felicidade* não é uma palavra que eu goste de usar por aqui. É duro demais, felicidade. Sou uma pessoa que aprecia as sutilezas da experiência humana. Estar bem descansado é o básico, é claro. Você sabe o que significa *alegria*? A-L-E-G-R-I-A?"

"Sim. Como em *A casa da alegria*, de Edith Wharton", respondi.

"Uma história triste", disse a dra. Tuttle.

"Não li."

"Melhor não ler mesmo."

"Li *A época da inocência*."

"Então teve uma boa educação."

"Fiz minha graduação na Universidade Columbia."

"Pode ser uma informação útil pra mim, mas não é muito útil para você nessa situação. O estudo é proporcional à ansiedade, como você deve ter aprendido em Columbia. Como anda a sua alimentação? É estável? Alguma restrição alimentar? Quando você entrou aqui, me lembrou Farrah Fawcett e Faye Dunaway. Alguma relação? Eu diria que você está o quê? Uns nove quilos abaixo do ideal no IMC?"

"Acho que meu apetite voltaria ao normal se eu conseguisse dormir", foi o que disse. Era mentira. Já dormia mais de doze horas, das oito às oito. O que eu esperava era conseguir remédios que me permitissem dormir o fim de semana inteiro.

"Já foi demonstrado que a prática diária de meditação cura insônia em ratos. Não sou religiosa, mas você pode experimentar ir a uma igreja ou sinagoga para buscar um aconselhamento sobre como conquistar a paz interior. Os quacres parecem pessoas razoáveis. Mas fique longe de cultos. Geralmente não passam de armadilhas para escravizar mulheres jovens. Você é sexualmente ativa?"

"Não muito", respondi.

"Mora perto de alguma usina nuclear? De algum equipamento de alta voltagem?"

"Moro no Upper East Side."

"Pega o metrô?"

Àquela altura eu pegava o metrô todos os dias para ir trabalhar.

"Muitas doenças psíquicas são transmitidas em espaços públicos confinados. Sinto que sua mente é muito porosa. Você tem algum passatempo?"

"Vejo filmes."

"É um bom passatempo."

"Como eles fizeram com que os ratos meditassem?", perguntei.

"Já viu roedores que se reproduzem em cativeiro? Os pais *comem* seus próprios bebês. Agora, não podemos demonizá-los. Eles fazem isso por compaixão. Para o bem da espécie. Algum tipo de alergia?"

"Morango."

Com isso, a dra. Tuttle pousou a caneta e encarou o infinito, parecendo imersa em pensamentos.

"*Alguns* ratos", disse depois de um tempo, "provavelmente merecem ser demonizados. Certos ratos específicos." Ela pegou a caneta de volta com um floreio da pluma roxa. "No momento em que começamos a generalizar, desistimos do nosso direito de ser autossuficiente, se é que me entende. Os ratos são muito leais ao planeta. Tente estes", ela disse, enquanto me entregava a receita médica. "Não compre todos de uma vez. Precisamos fracioná-los pra não dar bandeira." Ela se levantou toda dura, abriu um armário de madeira cheio de amostras de remédio e atirou algumas caixas de comprimidos sobre a mesa. "Vou te dar um saquinho de papel pra ficar mais discreto", disse. "Compre o lítio e o Haldol primeiro. É bom já começar seu caso fazendo barulho. Mais tarde, se precisarmos experimentar algo mais excêntrico, seu plano de saúde não se surpreenderá."

Não posso culpar a dra. Tuttle por esse conselho horrendo. Afinal, quem escolheu ser sua paciente fui eu. Ela me deu tudo o que pedi e lhe sou grata por isso. Tenho certeza de que há outros como ela por aí, mas a facilidade com que a encontrei e o alívio imediato que suas prescrições me proporcionaram me deram a impressão de que eu havia descoberto um xamã farmacêutico, um mago, um feiticeiro, um sábio. Às vezes me pergunto se a dra. Tuttle era mesmo real. Se fosse fruto da minha imaginação, acharia engraçado escolher alguém assim em vez de uma pessoa mais parecida com um dos meus ídolos — Whoopi Goldberg, por exemplo.

"Ligue para a emergência se algo ruim acontecer", disse a dra. Tuttle. "Seja racional quando puder. Não dá para saber ao certo como esses remédios vão agir em você."

No começo dessa empreitada, eu pesquisava na internet qualquer coisa que ela me desse pra tentar descobrir quanto aquilo me faria dormir por dia. Mas ler sobre a substância estragava a magia. O sono parecia uma coisa banal, só mais uma função mecânica do corpo, como espirrar, cagar ou flexionar uma articulação. Os "efeitos colaterais e as advertências" que via na internet também eram desanimadores e geravam uma ansiedade que aumentava o fluxo de pensamentos, o exato oposto do que eu queria que os comprimidos fizessem. Então passei a comprar coisas como Neuroproxin, Maxifenfen, Valdignore e Silencior e incluí na minha dieta aqui e ali, mas basicamente eu tomava doses elevadas de sonífero complementada por um Seconal ou Nembutal quando estava irritada, Valiums ou Psicosedins quando suspeitava estar triste, e Neurontin ou Notec ou Buspirona quando suspeitava me sentir só.

Em poucas semanas acumulei uma impressionante biblioteca de psicofármacos. Cada caixinha trazia o símbolo de um olho sonolento e a caveira com os ossos cruzados. "Em caso de gravidez, descontinue a medicação." "O comprimido deve ser ingerido acompanhado de leite ou outro alimento." "Guarde em local seco." "Pode causar sonolência." "Pode causar tontura." "Não tome aspirina enquanto fizer uso desta medicação." "Não moa os comprimidos." "Não mastigue os comprimidos." Qualquer pessoa normal teria se preocupado com a saúde sob o efeito dessas drogas. Eu não era de todo ingênua acerca dos riscos potenciais. Meu pai foi comido vivo pelo câncer. Vi minha mãe no hospital cheia de tubos, com morte cerebral. Perdi uma amiga de infância para uma insuficiência hepática depois que ela tomou paracetamol com Naldecon no ensino médio. A vida é frágil e fugaz e toda cautela é pouco, claro, mas eu estava disposta a correr risco de vida em nome do sonho de dormir o dia todo e me tornar uma pessoa completamente nova. E supus ser inteligente o bastante para saber de antemão se os remédios me matariam. Eu começaria a ter pesadelos premonitórios antes que isso acontecesse, antes que meu coração parasse ou meu cérebro explodisse ou que eu tivesse uma hemorragia ou me jogasse da janela do meu apartamento, no sétimo andar. Estava confiante de que tudo daria certo desde que eu pudesse dormir o dia todo.

Me mudei para esse apartamento na rua 84 do lado leste de Manhattan em 1996, um ano depois de me formar em Columbia. No verão de 2000, ainda não tinha tido nenhuma conversa com nenhum vizinho — quase quatro anos de silêncio absoluto no elevador, cada subida e descida constrangedora era uma performance de hipnose. Meus vizinhos eram basicamente pessoas com quarenta e tantos anos, casadas e sem filhos. Todo mundo bem-arrumado e profissional. Um monte de casaco de lã de camelo e pasta de couro preta. Echarpes Burberry e brinquinhos de pérola. De tempos em tempos, via umas mulheres solteiras e barulhentas da minha idade falando no celular e passeando com poodles minúsculos. Elas me lembravam Reva, só que com mais dinheiro e menos aversão a si mesmas, suponho. Isso era Yorkville, o Upper East Side. As pessoas eram megaconvencionais. Ao atravessar o saguão de pijama e chinelo rumo ao bar, eu sentia como se estivesse cometendo um crime, mas não me importava. As únicas pessoas em volta que não andavam nos trinques eram judeus idosos residentes em apartamentos com aluguel de preço controlado. Mas eu era alta, magra, loira, bonita e jovem. Mesmo no meu pior, sabia que ainda parecia o.k.

Meu prédio tinha oito andares, era de concreto com toldos bordô, tinha uma fachada genérica num quarteirão forrado de prédios antigos, cada um com sua plaqueta alertando os transeuntes a não deixar que os cachorros mijassem nas escadas porque isso danificaria o arenito. "Vamos honrar os que nos antecederam e os que virão depois de nós", dizia uma das placas. Os homens iam trabalhar no centro em carros alugados e as mulheres faziam botox, botavam silicone no peito e operavam a vagina para que ficasse apertadinha para o marido e o personal trainer, pelo menos foi o que Reva me disse. Eu achava que o Upper East Side poderia me proteger dos concursos de beleza e das brigas de galo do mundo da arte no qual eu "trabalhava" no Chelsea. Mas morar no centro da cidade me infectou com seu próprio vírus quando me mudei. Tinha tentado ser uma dessas loiras andando apressadinha pra cima e pra baixo usando cinta por baixo da roupa e um fone que nem uma idiota que se acha a tal, conversando sabe-se lá com quem — Reva?

Nos fins de semana, fazia o que as jovens nova-iorquinas como eu deviam fazer: desintoxicação intestinal, limpeza de pele, luzes, frequentava uma academia absurdamente cara, deitava na sauna até ficar cega, depois saía à noite calçando sapatos que machucavam meus pés e me renderam uma dor ciática. De vez em quando conhecia um cara interessante na galeria. Tinha fases de dormir com mais gente, depois com menos. Nada jamais evoluiu em termos de "amor". Reva volta e meia falava em "escolher alguém", "ter um relacionamento sério e estável". Aquilo pra mim parecia a morte.

"Prefiro ficar sozinha a ser a prostituta em tempo integral de alguém", eu disse.

Ainda assim, de vez em quando me batia um impulso romântico em relação a Trevor, um ex-namorado de muitas idas e vindas, meu primeiro e único. Eu tinha apenas dezoito anos e estava no primeiro ano da faculdade quando o conheci numa festa de Halloween num loft perto de Battery Park. Fui a essa festa com um bando de garotas da irmandade da qual eu tentava participar. Como a maioria das fantasias de Halloween, a minha era uma desculpa para andar pela cidade vestida de puta. Fui de detetive Rizzoli, a personagem de Whoopi Goldberg em *Mercadores da morte*. Na primeira cena do filme, ela está à paisana e disfarçada de prostituta. Para imitá-la, fiz o cabelo, usei um vestido bem justo, salto alto, jaqueta lamê dourada e óculos de sol brancos estilo gatinho. Trevor estava de Andy Warhol: peruca loira, óculos pretos de aro grosso, camisa listrada e apertada. Minha primeira impressão foi de que ele era um espírito livre, inteligente, engraçado. O que se provou um completo equívoco. Saímos juntos da festa e passamos horas batendo perna. Mentimos um pro outro sobre quão feliz era nossa vida, comemos pizza à meia-noite, pegamos a balsa em Staten Island e ficamos indo e voltando de um lado pro outro até o sol nascer. Dei o telefone do meu dormitório na faculdade. Quando ele finalmente ligou, duas semanas depois, fiquei completamente obcecada. Ele me manteve na rédea curta por meses — jantares caros, ópera ou balé de vez em quando. Tirou minha virgindade num chalé de esqui em Vermont no Dia dos Namorados. Não foi uma experiência agradável, mas acreditei que ele fosse mais experiente do que eu, então, quando saiu de cima de mim e disse "Foi incrível", acreditei. Ele tinha trinta e três, trabalhava no Fuji Bank do World Trade Center, usava ternos sob medida, mandava um carro me apanhar no dormitório e depois, a partir do segundo ano, na casa da irmandade, me servia vinho, jantares e não tinha nenhum constrangimento em pedir pra ser chupado no banco de trás do táxi que entrava na conta da empresa. Eu achava que isso provava sua masculinidade. Minhas amigas da irmandade concordavam: ele era "fino". E eu estava impressionada com quanto ele gostava de falar de seus sentimentos, coisa que nunca tinha visto um homem fazer. "Minha mãe virou maconheira, é por isso que tenho essa melancolia profunda." Ele fazia viagens frequentes a Tóquio a trabalho e a San Francisco para visitar a irmã gêmea. Eu suspeitava que ela o estivesse desencorajando a namorar comigo.

Ele terminou o namoro pela primeira vez ainda no primeiro ano da faculdade porque eu era "muito jovem e imatura. Não posso ser a pessoa que vai te ajudar a superar suas questões de abandono", explicou. "É muita responsabilidade. Você merece alguém que possa de fato apoiar seu desenvolvimento emocional." Então passei o verão em casa com meus pais e transei com um garoto da escola que tinha uma libido muito intensa e era muito mais interessado nos meandros de como o clitóris "funciona", embora não fosse paciente o bastante para de fato interagir com o meu de modo satisfatório. Mesmo assim, foi útil. Não sentir nada pelo menino, poder usá-lo, me ajudou a recuperar um pouco de dignidade. No Dia do Trabalho, quando mudei para a Delta Gamma, Trevor e eu estávamos juntos de novo.

    Nos oito anos seguintes, Trevor periodicamente exauriria sua autoestima com mulheres mais velhas (leia-se: mulheres da idade dele) e depois voltava pra mim. Eu sempre estava disponível. Saía com outros caras de vez em quando, mas nunca havia outro "namorado" de verdade, se é que podia chamar Trevor de namorado. Ele não concordaria em carregar esse título. Na faculdade, eu ficava com bastante gente nas fases em que não estávamos juntos, mas nada que valesse um segundo encontro. Depois que me formei e fui lançada ao mundo adulto — já na condição de órfã —, o desespero me deixou mais ousada e eu com frequência implorava para Trevor voltar comigo. Dava pra ouvir o pau dele endurecendo do outro lado da linha quando eu ligava e suplicava que viesse me dar um abraço. "Vou ver se consigo uma brecha na agenda", ele dizia. Então aparecia e eu me aninhava em seus braços como a criança que ainda era, inebriada de gratidão pelo gesto de reconhecimento, saboreando a presença dele ali na cama, ao meu lado. Era como se ele fosse algum mensageiro divino, minha alma gêmea, meu salvador, fosse lá o que fosse. Trevor gostava de passar a noite na minha casa na rua 84 para recuperar a autoconfiança perdida em seu último caso. Eu odiava quando percebia que era isso que ele sentia. Uma vez ele disse que tinha medo de transar comigo de um jeito muito "apaixonado" porque não queria partir meu coração. Então praticava uma foda eficiente, egoísta e, assim que terminava, se vestia, conferia o pager, penteava o cabelo, me dava um beijo na testa e ia embora.

Uma vez perguntei: "Se você só pudesse fazer sexo oral ou penetração pro resto da vida, o que escolheria?".

"Sexo oral", ele respondeu.

"Isso não é meio gay?", repliquei. "Estar mais interessado na boca do que na vulva?"

Ele passou semanas sem falar comigo.

Mas Trevor tinha um metro e noventa e três. Estava sempre limpo, em forma e confiante. Era um milhão de vezes melhor do que os nerds hipsters que eu via pela cidade e na galeria. Na faculdade, o departamento de história da arte estava infestado desse modelito de jovens do sexo masculino. Uma "alternativa" em relação aos garotos das fraternidades, aos superinteligentes que entravam direto em medicina e aos franzinos, moleques meio intelectuais e sem o menor charme que dominavam os departamentos mais criativos. Como estudante de história da arte, eu não tinha como escapar deles. Caras chatos lendo Nietzsche no metrô, Proust, David Foster Wallace, anotando seus pensamentos brilhantes num Moleskine preto. Barriga de cerveja, gambitos, moletom de zíper, casaco azul-marinho ou parca verde-exército, New Balance, gorro de tricô, bolsa de lona, mãos diminutas com dedos cabeludos, quem sabe uma cabeça de veado tatuada num bíceps sem tônus. Enrolavam seus próprios cigarros, não escovavam os dentes direito, gastavam cem dólares por semana em café. Frequentavam a Ducat, a galeria onde acabei trabalhando, com suas namoradas mais jovens — geralmente asiáticas. "Uma namorada asiática significa que o cara tem um pau pequeno", Reva disse um dia. Eu os escutava falando merda sobre arte. Eles se ressentiam do sucesso alheio, queriam ser adorados, influentes, celebrados por seu gênio, achavam que mereciam ser alvo de admiração. A verdade, no entanto, é que mal conseguiam encarar o próprio reflexo no espelho. Todos na base do Rivotril, é o meu palpite. Esse tipinho se concentrava especialmente no Brooklyn, outra razão pela qual eu estava feliz em morar no Upper East Side. Lá ninguém ouvia Moldy Peaches. Lá ninguém dava a mínima para "ironia" ou Dogma 95 ou Klaus Kinski.

    O pior é que esses caras tentavam fazer a insegurança passar por "sensibilidade". E funcionava. Eles é que vão dirigir museus e revistas. E só vão me contratar se acharem que eu vou dar pra eles. Mas, quando estávamos nas mesmas festas, eles me ignoravam. Eram tão egoístas e distraídos com a conversa de seus pares que você chegava a pensar que estavam debatendo um assunto da mais alta importância e que o mundo podia explodir. Não eram do tipo que se distrai com um rabo de saia, pelo menos era nisso que quase me faziam acreditar. A verdade é que provavelmente só estavam com medo de vagina, com medo de não saber o que fazer com uma boceta tão linda e rosada quanto a minha, com vergonha de sua própria inadequação sexual, intimidados por seus paus, com medo de si mesmos. Por isso resolveram se voltar para "ideias abstratas" e se afogar no álcool para não encarar o desprezo que sentiam por si mesmos e que preferiam chamar de "tédio existencial". Era fácil imaginar aqueles caras se masturbando para Chloë Sevigny, Selma Blair, Leelee Sobieski. Para Winona Ryder.

    Trevor devia se masturbar pensando em Britney Spears. Ou Janis Joplin. Nunca entendi seu descompasso. E Trevor nunca quis "se ajoelhar no altar". Posso contar nos dedos de uma única mão quantas vezes ele me chupou. Quando se dava ao trabalho de tentar, não fazia ideia de como proceder, parecia emocionado com sua generosidade e paixão, como se esperar uns minutos para ter seu próprio pau chupado fosse uma coisa tão obscena, imprudente, algo que exigisse tamanha coragem que ele mesmo estivesse tentando entender aquela decisão. Ele beijava de um jeito agressivo e ritmado, como se tivesse estudado num manual. Sua mandíbula era estreita e angular, o queixo um pouco malfeito, como se encaixado depois que o rosto já estava pronto. A pele tinha um tom uniforme e era bem hidratada, talvez mais lisa do que a minha. Ele mal precisava se barbear e sempre cheirava a loja de departamento. Se eu o conhecesse agora, o tomaria por gay.

Mas Trevor ao menos podia contar com uma arrogância sincera para sustentar sua bravata. Não se acovardava diante de suas ambições, como aqueles caras descoladinhos. E ele sabia me manipular — tinha que respeitá-lo ao menos por isso, por mais que isso me fizesse odiá-lo.

Trevor e eu não estávamos nos falando quando entrei em hibernação. Provavelmente liguei pra ele em algum momento em que estava sob o véu negro do Stilnox, logo no começo dessa empreitada, mas não sei se ele chegou a atender o telefone. Podia imaginá-lo absorto em alguma vagina complicada de quarenta e tantos anos, descartando qualquer pensamento acerca da minha existência, assim como quando a gente passa reto por uma prateleira de supermercado abarrotada de sucrilhos açucarados e miojos. Eu era coisa de criança, perda de tempo. Não valia as calorias que continha. Ele já disse que preferia as morenas. "Elas me deixam ser eu mesmo", me disse. "Loiras distraem demais. Pense na sua beleza como um calcanhar de aquiles. Fica tudo muito superficial. Não digo isso de um jeito ofensivo, mas é a verdade. É difícil passar por cima da sua aparência."

Desde a adolescência eu oscilava entre querer parecer a branquinha mimada que de fato era e a dublê de mendiga que *acho* que seria se tivesse coragem. Comprava na Bergdorf e na Barneys e em brechós chiques no East Village. O resultado era um guarda-roupa incrível que consistia no meu principal ativo profissional como recém-formada. Logo consegui um emprego na Ducat, uma das galerias de *fine art* que ficavam do lado oeste, na rua 21. Não tinha nenhum grande plano de me tornar curadora, nenhum esquema maravilhoso para subir na vida. Só estava tentando passar o tempo. Achava que se fizesse tudo nos conformes — se conseguisse me manter num emprego, por exemplo — acabaria sufocando essa parte de mim que odiava tudo. Se fosse homem, podia ter entrado no mundo do crime. Acontece que eu parecia uma modelo de folga. Era fácil demais deixar as coisas virem na moleza e darem em nada. Trevor estava certo sobre meu calcanhar de aquiles. Ser bonita só me manteve presa a um mundo que valorizava a aparência acima de tudo.

Natasha, minha chefe na Ducat, tinha trinta e poucos. Ela me contratou assim que cheguei para fazer a entrevista, no verão em que terminei a faculdade. Eu tinha vinte e dois anos. Mal lembro da conversa que tivemos, mas sei que eu vestia uma blusa de seda creme, calça jeans preta e justa, sapatilhas (para o caso de ser mais alta do que ela, o que de fato se comprovou, por um centímetro) e um enorme colar de vidro verde tão pesado que literalmente me rendeu um hematoma enquanto corria pelas escadas do metrô. Sabia que não devia ir de vestido nem com nada muito afetado ou feminino. Isso só renderia um desprezo paternalista. Natasha usava basicamente a mesma roupa todos os dias — um blazer Yves Saint-Laurent e calça de couro apertada, zero maquiagem. Era o tipo de mulher fruto de uma miscigenação misteriosa que poderia brotar facilmente em quase qualquer país. Podia ser de Istambul, de Paris, do Marrocos, de Moscou, de Nova York, de San Juan ou até mesmo de Phnom Penh, se estivesse sob a luz certa e dependendo de como arrumasse o cabelo. Era fluente em quatro línguas e tinha sido casada com um aristocrata italiano, um barão ou um conde, pelo menos foi o que ouvi dizer.

A arte que exibíamos na Ducat era supostamente subversiva, irreverente, chocante, mas na verdade era só um monte de merda de contracultura enlatada no estilo "punk com grana", nada que pudesse inspirar mais do que uma visita à Comme des Garçons da esquina para comprar uma roupa de caimento ruim. Natasha me escalou para o papel da subalterna entediada e, na maior parte do tempo, o mínimo esforço que dediquei ao trabalho era mais que suficiente. Eu era a gata fashionista. Um item da decoração. Era a vaca que senta atrás de uma mesa e te ignora quando você entra numa galeria, a gostosa com cara de enfado usando roupas superestilosas e difíceis de decifrar. Fui orientada a me fazer de boba caso alguém perguntasse alguma coisa. Fuja do assunto, seja vaga. Nunca entregue a lista de preços a ninguém. Natasha só me pagava vinte e dois mil dólares por ano. Sem minha herança, seria obrigada a procurar um emprego que me pagasse melhor. E provavelmente teria que dividir um apartamento no Brooklyn. Tive sorte por meus pais terem me deixado aquela grana, sei disso, mas também era deprimente.

O principal artista do portfólio de Natasha era Ping Xi, um jovem de vinte e três anos de aparência imberbe nascido em Diamond Bar, na Califórnia. Ela achava que ele seria um bom investimento por ser meio asiático e ter sido expulso do Instituto de Artes da Califórnia depois de ter disparado uma arma dentro de seu ateliê. Ele conferia certa respeitabilidade. "Quero que a galeria seja mais *cerebral*", explicou Natasha. "O mercado está se afastando da emoção. O que importa agora é o processo, as ideias, a construção de marca. A masculinidade está em alta." A primeira vez que o trabalho de Ping Xi foi exposto na Ducat foi numa mostra coletiva chamada *Corpo de substância*, da qual ele participou com uma série de pinturas por gotejamento à la Jackson Pollock feitas com sua própria ejaculação. Ele dizia ter colocado uma pequena esfera de pigmento colorido na glande do pênis e ter se masturbado em frente àquelas telas enormes. Cada uma dessas pinturas abstratas recebeu um título solene, como se tivessem algum significado político obscuro e profundo. *Maré turva de sangue. Inverno na cidade de Ho Chi Minh. Pôr do sol na avenida dos Franco-Atiradores. Criança palestina decapitada. Bombardeio efetivado, Nairóbi.* Era tudo uma bobajada, mas as pessoas adoraram.

Natasha tinha um orgulho especial da mostra *Corpo de substância* porque todos os artistas tinham menos de vinte e cinco anos e ela mesma havia descoberto todos eles. Ela tomava isso como prova de que tinha um dom para identificar verdadeiros talentos. A única peça da mostra de que eu gostava tinha sido feita por Aiyla Marwazi, uma jovem de dezenove anos que havia estudado no Instituto Pratt. Era um imenso tapete branco da Crate & Barrel com pegadas ensanguentadas e uma extensa mancha de sangue como se um corpo tivesse sido arrastado. Natasha me disse que o sangue no tapete era humano, mas não registrou isso no material enviado à imprensa. "Parece que dá para encomendar de tudo em sites da China. Dentes. Ossos. Membros." O tapete ensanguentado custava setenta e cinco mil dólares.

A série *Filme plástico*, de Annie Pinker, consistia em pequenos objetos embrulhados em filme PVC. Um de pequenas frutas de marzipã e chaveiros de pé de coelho, outro de flores secas e preservativos. Absorventes usados enrolados e balas de borracha. Um Big Mac com batatas fritas e um rosário de plástico barato. Os dentes de leite da artista, ou pelo menos era o que ela dizia, e M&M's em cores natalinas. Transgressão barata por uma bagatela de vinte e cinco mil dólares. E ainda tinha as fotografias em grande escala de manequins envoltos em tecido cor de carne de Max Welch, um idiota completo. Desconfio que ele e Natasha estavam transando. Num pedestal baixo num canto havia uma pequena escultura dos Irmãos Brahams — dois macaquinhos feitos de pelos pubianos humanos. Cada um com uma pequena ereção perceptível por entre os pelos. Os pênis eram feitos de titânio branco e tinham câmeras acopladas, posicionadas para fotografar quem os observasse. As imagens iam diretamente para um site protegido por senha. A senha para ver essas fotos custava cem dólares. Os macacos custavam duzentos e cinquenta mil.

No trabalho, no intervalo para o almoço, eu tirava uma soneca de uma hora dentro do armário de suprimentos que ficava debaixo da escada. "Tirar uma soneca" é um termo bem infantil, mas era exatamente o que eu fazia. A matiz de cores do meu sono noturno era mais variável, geralmente imprevisível, mas bastava me escorar naquela despensa para ser imediatamente transportada ao vazio negro, a um infinito repleto de coisa alguma. Naquela despensa, eu não me sentia assustada ou exultante. Não tinha visões. Não tinha ideias. Se por acaso me surgisse um pensamento mais nítido, eu o escutaria e seu som ecoaria e ecoaria até ser absorvido pela escuridão e desaparecer por completo. Não havia necessidade de responder. Nenhuma conversa fútil comigo mesma. Tudo era calmo. O exaustor do armário liberava um fluxo constante de ar fresco que trazia consigo um leve aroma de roupa limpa vindo da lavanderia do hotel ao lado. Não havia trabalho a ser feito, nada em que eu precisasse intervir ou oferecer algum tipo de compensação porque, afinal, não havia nada e ponto. E no entanto eu estava ciente do vazio. Era como se em alguma instância meu sono incluísse uma vigília. Eu me sentia bem. Quase feliz.

Mas sair desse sono era excruciante. Minha vida inteira passava diante dos meus olhos da pior maneira possível, minha mente se reabastecia de todas as minhas memórias estúpidas, todas as pequenas idiotices que me levaram até o ponto em que me encontrava. Tentava me lembrar de qualquer outra coisa — de uma versão melhor, de uma história feliz, às vezes só de uma vida igualmente aleijada, mas pelo menos diferente, cujas digressões trariam ao menos certo frescor —, mas nunca funcionava. Continuava sendo eu mesma. Às vezes acordava com o rosto banhado em lágrimas. De fato, as únicas vezes que chorei foram nesses momentos em que era desviada daquele vazio pelo alarme do celular. Era quando eu tinha que subir as escadas, tomar um café na pequena copa da galeria e limpar a ramela dos olhos. Me readaptar à dura iluminação fluorescente sempre levava um certo tempo.

Por cerca de um ano tudo parecia correr bem entre nós duas. A maior bronca que Natasha havia me dado foi por ter comprado canetas erradas.

"Por que a gente usa essas canetas baratas que fazem esse barulhinho irritante quando a gente clica?" Ela ficou ali parada, apertando a caneta mil vezes na minha direção.

"Me desculpa, Natasha", respondi. "Vou comprar canetas mais silenciosas."

"O FedEx já chegou?"

Raramente sabia responder a essa pergunta.

Quando comecei a frequentar a dra. Tuttle, estava dormindo catorze horas por noite durante a semana, mais aquela horinha extra do almoço. Nos fins de semana, só ficava acordada algumas poucas horas do dia. Mesmo acordada, não ficava plenamente desperta, mas em meio a uma névoa, num estado indistinto entre realidade e sonho. Me tornei desleixada e preguiçosa no trabalho, mais desbotada, vazia, ausente. Isso me agradava, mas *fazer* qualquer coisa era um problema. Quando as pessoas falavam, eu tinha que repetir mentalmente o que elas haviam dito para conseguir decodificar. Falei para a dra. Tuttle que estava tendo dificuldade de concentração. Ela disse que isso devia ser culpa da "neblina cerebral".

"Você está dormindo o suficiente?", ela perguntava a cada semana que ia vê-la.

"Mal", era o que eu sempre respondia. "Esses remédios mal controlam a minha ansiedade."

"Coma uma lata de grão-de-bico", ela disse. "Também conhecido como gravanço. E tome *isto* aqui", aconselhou a dra. Tuttle, rabiscando alguma coisa em seu receituário. A gama de medicamentos que eu estava acumulando era espantosamente encorajadora. A dra. Tuttle me explicou que para otimizar a cobertura do plano ela prescrevia remédios para os efeitos colaterais em vez de atacar direto aqueles cujo objetivo principal seria aliviar meus sintomas, que, no caso, consistiam em "fadiga debilitante devido à fraqueza emocional seguida de insônia, resultando em psicose suave e beligerância". Foi isso que ela me disse que ia registrar em suas notas. Chamou seu método de prescrição de "eco prescrição" e disse que estava escrevendo um artigo sobre o assunto que logo seria publicado. "É para uma revista acadêmica de Hamburgo." Me deu comprimidos para enxaqueca, outros que evitavam convulsões, outros para síndrome das pernas inquietas, para perda auditiva. Todos deveriam me relaxar e fazer com que eu conseguisse ter meu "tão necessário descanso".

Um dia, em março de 2000, voltei para minha mesa na Ducat após uma visita ao abismo cósmico da despensa e encontrei um bilhete que iluminaria a trilha da minha futura demissão. "Durma à *noite*", dizia o recado de Natasha. "Este é um local de trabalho." Não posso culpá-la por ter pensado em me demitir. Àquela altura já fazia quase um ano que eu vinha cochilando no expediente. Nos meses finais, nem me arrumava para ir ao trabalho. Simplesmente sentava na mesa com um moletom de capuz e rímel de três dias endurecido e manchado ao redor dos olhos. Perdia as coisas. Confundia tudo. Não acertava uma.

Planejava uma coisa e de repente me via fazendo o oposto. Fazia bagunça. Os estagiários discutiam comigo em relação às tarefas, tinham que me lembrar do que eu mesma havia pedido para eles. "E agora, o que eu faço? Qual o próximo passo?"

E agora? Eu não tinha a menor ideia.

Natasha começou a perceber. Minha sonolência era útil na hora de ser mal-educada com os visitantes da galeria, mas não para assinar protocolos de entrega ou notar se alguém tinha entrado com um cachorro que deixara marcas pelo chão, o que acontecia de vez em quando. Também tinha café derramado. Mestrandos tocando nas telas, uma vez até reorganizando uma instalação de Jarrod Harvey que consistia em caixas de CD quebradas formando a palavra "BURLAR". Quando vi, simplesmente rearrumei a instalação, ninguém iria notar. Mas certa tarde, quando uma moradora de rua entrou e se instalou no quarto dos fundos, Natasha ficou sabendo. Eu não sabia dizer quanto tempo a mulher tinha ficado ali. Talvez achassem que ela fazia parte da obra. Acabei dando cinquenta dólares pra ela ir embora. Natasha não conseguiu esconder sua irritação.

"Quando as pessoas entram aqui e te veem, você acaba sendo meu cartão de visita. Sabia que Arthur Schilling esteve aqui na semana passada? Acabei de receber um telefonema." Ela decerto pensou que eu estava drogada.

"Quem?"

"Caramba! Estude a lista de registros. Examine as fotos das pessoas e grave o rosto delas", disse. "Cadê a lista das obras que vão para o Earl?" Etc. etc.

Naquela primavera, a galeria estava montando a primeira exposição individual de Ping Xi, intitulada *Bowwowwow*, e Natasha surtava com detalhes minúsculos. Provavelmente teria me demitido antes se não estivesse tão ocupada.

Tentei fingir interesse e esconder meu horror sempre que Natasha falava sobre a obra *Pedaços de cachorro*, de Ping Xi.

Ele tinha empalhado vários cachorros de várias raças: um poodle, um lulu-da-pomerânia, um scottish terrier. Um labrador preto, um dachshund. Até um filhotinho de husky siberiano. Fazia tempo que ele trabalhava naquilo. Natasha e ele se aproximaram desde o sucesso de vendas de suas pinturas de esperma.

Quando a obra estava sendo instalada, ouvi um dos estagiários sussurrar para o eletricista.

"Estão dizendo que o artista comprava os cachorros ainda filhotes, criava, e, quando atingiam o tamanho que ele queria, ele matava. Trancava os cachorros num freezer industrial porque essa é a forma menos cruel de fazer eutanásia sem estragar a aparência dos bichos. Quando descongelavam, ele conseguia colocá-los na posição que quisesse."

"Por que ele simplesmente não envenenava os cachorros ou quebrava o pescoço deles?"

Tive a sensação de que o boato era verdadeiro.

Quando os cães foram devidamente posicionados, os fios ligados, todos os cabos elétricos instalados, Natasha apagou as luzes e acendeu cada um dos cachorros. Lasers vermelhos saíam dos olhos deles. Fiz carinho no labrador preto enquanto os funcionários varriam o pelo caído no chão. O rosto dele estava frio e sedoso.

"Nada de carinho, por favor", disse Ping Xi de repente, na escuridão.

Natasha pegou o braço dele e o assegurou de que estava pronta para notas de repúdio do PETA, para um protesto ou outro, para um editorial no *New York Times* que na verdade seria uma publicidade de ouro. Ping Xi assentiu com o rosto inexpressivo.

No dia da abertura, liguei dizendo que estava doente. Natasha pareceu não se importar e mandou Angelika ficar na recepção. Era uma anoréxica gótica, veterana da NYU. A exposição foi um "sucesso brutal", disse um crítico. "Cruelmente engraçada." Um outro disse que Ping Xi "marcava o fim do sagrado na arte. Eis um fedelho mimado zombando de tudo o que está estabelecido. Alguns o estão saudando como o próximo Marcel Duchamp. Mas será que ele vale o barulho?".

Não sei por que simplesmente não pedi demissão. Eu não precisava do dinheiro. Fiquei aliviada quando finalmente, em junho, Natasha ligou da Suíça pra me mandar embora. Ao que tudo indicava, eu havia feito confusão na remessa de materiais para a Art Basel.

"Só por curiosidade, o que está *acontecendo* com você?", ela quis saber.

"Só tenho estado muito cansada."

"É um problema de saúde?"

"Não", respondi. Podia ter mentido dizendo que tinha mononucleose ou algum distúrbio do sono. Talvez um câncer, todo mundo está tendo câncer. Mas era inútil me defender, eu não tinha nenhum bom motivo pra lutar por aquele emprego. "Você está me demitindo?"

"Adoraria que você ficasse até eu voltar e, nesse tempo, ensinasse Angelika como tudo funciona na galeria, a mexer no sistema de arquivamento, no que quer que você esteja fazendo no computador, se é que está fazendo alguma coisa." Desliguei o telefone, peguei um punhado de Fenergans, desci para o armário de suprimentos e caí no sono.

Ah, dormir. Nada poderia me dar tanto prazer, tanta liberdade, o poder de sentir e de me mover, de pensar e me imaginar a salvo das misérias que acometiam minha consciência em estado de vigília. Eu não tinha narcolepsia — nunca adormeci involuntariamente. Estava mais para uma hipersonia. Era sonófila. Sempre adorei dormir. Era um programa que minha mãe e eu gostávamos de fazer quando eu era criança. Ela não era do tipo que sentava pra me ver desenhar, ou lia pra mim ou brincava ou saía para andar no parque ou assava um bolo comigo. Nós nos dávamos melhor dormindo.

 Quando eu estava no terceiro ano, minha mãe passou a deixar que eu dormisse na cama dela por causa de um conflito não declarado com meu pai. Dizia que era mais fácil me acordar de manhã sem ter que levantar e atravessar o corredor. Naquele ano, tive trinta e sete atrasos e vinte e quatro faltas. Foram trinta e sete vezes que minha mãe e eu acordamos juntas, com os olhos turvos e exaustas, tentamos nos levantar e, em seguida, voltamos para a cama e adormecemos enquanto desenhos animados reluziam na pequena televisão do seu criado-mudo. Nós acordávamos algumas horas depois — a cortina fechada, travesseiros extras atirados no áspero tapete bege —, nos vestíamos nesse estado de atordoamento e embarcávamos no carro. Lembro de vê-la usar uma das mãos para manter o olho aberto enquanto dirigia com a outra. Já me perguntei muitas vezes o que ela estava tomando naquele ano, e se estava me dando alguma coisa. Foram vinte e quatro vezes que ignoramos o alarme, acordamos às vezes ao meio-dia e simplesmente desistimos da ideia de ir à escola. Eu passava o dia comendo sucrilhos e assistindo TV. Minha mãe fumava, falava ao telefone, se escondia da empregada, contrabandeava uma garrafa de vinho para o banheiro da suíte, preparava um banho de banheira e lia Danielle Steel ou *Casa & Jardim*.

 Meu pai passou aquele ano dormindo no sofá do escritório. Lembro de seus óculos grossos empoleirados na mesa de carvalho, as lentes engorduradas ampliando o grão escuro da madeira. Sem os óculos, eu mal o reconhecia. Ele tinha uma aparência pouco marcante — cabelo castanho desgrenhado, bochecha de buldogue, uma única ruga de preocupação bastante funda cravada na testa. Aquela ruga lhe dava um ar de eterna perplexidade, ainda que passiva, como um homem enjaulado atrás de seus olhos. Eu o achava meio que uma nulidade. Um estranho que se comportava como um fantoche e que usava da gentileza para viver aquela vida doméstica com duas mulheres estranhas que ele nem sonhava entender. Toda noite ele jogava um Sonrisal num copo d'água e eu observava o comprimido se dissolver. Lembro de escutar o som do efervescente enquanto ele apanhava as almofadas do sofá e as empilhava silenciosamente num canto, com seu pijama triste e desbotado arrastando pelo chão. Talvez tenha sido nesse momento que o câncer se instalou, um punhado de células defeituosas se formando durante uma noite de sono ruim no escritório.

Meu pai não era nem um aliado nem um confidente, mas me parecia errado que aquele homem trabalhador fosse relegado ao sofá enquanto minha mãe preguiçosa se espalhava numa cama king size. Isso me deixava desconfortável, mas ela parecia imune à culpa e à vergonha. Acho que conseguia fazer o que queria sem grandes consequências só porque era bonita. Parecia a Lee Miller se a Lee Miller fosse uma bêbada confinada ao próprio quarto. Acho que culpava meu pai por ter arruinado sua vida — ela engravidou e largou a faculdade pra se casar. Ela não devia ter feito isso, é claro. Nasci em agosto de 1973, sete meses depois do caso *Roe contra Wade*, aquele que acabou legalizando o aborto. A família dela era composta de, por um lado, aquela ala de frequentadores de clube de campo batistas sulistas e alcoólatras — madeireiros do Mississipi. Pelo outro, de petroleiros da Louisiana. Não fosse por isso, imagino que ela teria abortado. Meu pai era doze anos mais velho que ela. Minha mãe tinha apenas dezenove e já estava grávida de quatro meses quando eles se casaram. Entendi isso assim que me tornei tecnicamente habilitada para fazer contas. Estrias, excesso de pele, cicatrizes na barriga. Ela dizia que parecia que tinha sido "atacada por um guaxinim" e olhava pra mim como se eu tivesse enrolado o cordão umbilical no meu próprio pescoço de propósito. Talvez eu tivesse mesmo. "Quando eles abriram minha barriga e te puxaram de lá, você estava azul. Depois de tudo o que passei, as consequências, seu pai... O bebê vai e morre? Seria como derrubar uma torta no chão logo depois de tirá-la do forno."

Palavras cruzadas eram o único exercício intelectual que minha mãe se permitia fazer. Algumas noites ela saía do quarto pra pedir dicas ao meu pai. "Não me dê a resposta, só me diga como a palavra *soa*", ela dizia. Meu pai, professsor, era bom em orientar as pessoas para que tirassem as próprias conclusões. Ele era frio, mal-humorado e até um pouco sarcástico de vez em quando. Puxei a ele. Uma vez minha mãe disse que nós dois tínhamos um "coração de pedra". Mas ela também tinha uma aura fria. Acho que ela não percebia isso. Nenhum de nós era afetuoso. Nunca me deixaram ter animais de estimação. Às vezes acho que um cachorrinho poderia ter mudado tudo. Meus pais morreram um em seguida do outro durante meu primeiro ano de faculdade — primeiro meu pai, de câncer. Seis semanas depois minha mãe, de comprimidos e álcool.

Tudo isso, a tragédia do meu passado, voltou com força total naquela noite em que acordei na despensa da Ducat pela última vez.

Eram dez da noite e todos já tinham ido pra casa. Subi a escada escura e fui limpar minha mesa. Não sentia tristeza ou nostalgia, apenas desgosto por ter desperdiçado tanto tempo num trabalho desnecessário quando poderia estar dormindo sem sentir nada. Fui estúpida em acreditar que um emprego agregaria valor à minha vida. Numa sacola de compras que encontrei na sala dos funcionários enfiei minha caneca de café, a roupa extra que guardava na gaveta da mesa junto com alguns pares de salto alto, uma meia-calça, um sutiã com enchimento, maquiagem, um papelote de cocaína intocado, guardado havia um ano. Pensei em roubar algo da galeria — a foto de Larry

Clark pendurada no escritório de Natasha ou o cortador de papel. Me contentei com uma garrafa de champagne — um prêmio de consolação um tanto sem graça e por isso mesmo bastante apropriado.

Apaguei todas as luzes, liguei o alarme e saí. Era uma noite fria de começo de verão. Acendi um cigarro e fiquei em pé de frente para a galeria. Os lasers não estavam ligados, mas através do vidro pude ver o poodle branco e alto que encarava a calçada. Ele exibia os dentes, com um canino de ouro brilhando à luz do poste. Havia um laço de veludo vermelho amarrado em seu pequeno penteado bufante. De repente me veio à tona um sentimento. Tentei esmagá-lo, mas ele se aninhou nas minhas entranhas. "Animais de estimação só fazem bagunça. Não quero ter que sair por aí tirando pelos de cachorro do dente", lembrei de ouvir minha mãe dizer.

"Nem um peixinho dourado?"

"Pra quê? Só pra ver ele nadar e morrer?"

Talvez essa lembrança tenha provocado a hemorragia da adrenalina que me levou a voltar pra dentro da galeria. Tirei alguns lenços de papel que estavam na minha antiga escrivaninha, acendi os lasers e fiquei entre o labrador preto de pelúcia e o dachshund adormecido. Então abaixei a calça, me agachei e caguei no chão. Me limpei e me arrastei pela galeria com a calça no tornozelo e enfiei os lenços de papel cheios de merda na boca daquele poodle idiota. Me senti vingada. Foi uma despedida à altura. Saí e peguei um táxi pra casa; bebi toda a garrafa de champanhe naquela mesma noite e adormeci no sofá vendo *A ladrona*. Pelo menos Whoopi Goldberg era um motivo para continuar viva.

No dia seguinte preenchi os formulários de requisição do seguro-desemprego, algo que deve ter deixado Natasha um tanto chateada. Mas ela nunca me ligou. Combinei um esquema de coletas semanais com a lavanderia, pus todas as minhas contas no débito automático, comprei um arsenal de fitas VHS usadas no brechó da Associação Beneficente da Mulher Judia, na Segunda Avenida, e logo estava imersa num mar de comprimidos e dormindo o dia inteiro com breves intervalos de duas ou três horas entre uma jornada e outra. Isso é bom, pensei comigo mesma. Enfim fazia algo que de fato importava. O sono parecia produtivo. Algo estava sendo resolvido. No fundo do coração, eu sabia — talvez essa fosse a única coisa que meu coração sabia naquela época — que assim que eu tivesse dormido o suficiente ficaria bem. Eu me renovaria, renasceria. Seria uma pessoa totalmente nova, cada uma das minhas células se regeneraria a tal ponto que as antigas pareceriam memórias distantes encobertas pela névoa. Minha vida passada seria apenas um sonho e eu poderia começar de novo sem arrependimentos, amparada pela felicidade e pela serenidade que teria acumulado em meu ano de descanso e relaxamento.

Dois

Eu via a dra. Tuttle semanalmente, mas depois que saí da Ducat fiquei sem saco de ir até a Union Square uma vez por semana. Por isso disse a ela que estava "fazendo um frila em Chicago" e que só conseguiria vê-la pessoalmente uma vez por mês. Ela disse que poderíamos nos falar por telefone toda semana. Ou não, desde que eu deixasse os cheques pré-datados com a diferença da consulta que meu plano não cobria. "Se o plano perguntar, diga que vem aqui toda semana. Só por segurança." Ela nunca reparou que nossas conversas ao telefone aconteciam durante minhas visitas de reabastecimento a uma farmácia de Manhattan. Nunca me perguntou como estava indo o trabalho em Chicago ou o que eu fazia por lá. A dra. Tuttle não sabia nada sobre meu projeto de hibernação. Queria que ela pensasse que eu era uma pilha ambulante em termos de nervosismo, mas ao mesmo tempo um ser humano totalmente funcional, de modo que se sentisse à vontade para me prescrever o que quer que me derrubasse com mais eficácia.

Mergulhei no sono com força total assim que esse arranjo foi feito. Foi um momento emocionante na minha vida. Estava esperançosa. Sentia que estava a caminho de uma grande transformação.

Passei aquela primeira semana numa zona indefinida e suave. Não saí de casa uma única vez, nem pra ir ao café da esquina. Deixava um pote de macadâmia do lado da cama e comia um punhado sempre que emergia à superfície, bebia água de uma garrafa igualmente posicionada, ia ao banheiro talvez uma vez por dia. Não atendia o telefone — ninguém além de Reva me ligava mesmo. Ela me deixava mensagens tão longas e sem fôlego que eram cortadas no meio de uma frase. Em geral telefonava enquanto se exercitava no simulador de escada da academia.

Uma noite ela veio sem avisar. O porteiro disse que achava que eu tinha viajado.

"Estava preocupada", disse Reva, se intrometendo no apartamento com uma garrafa de vinho rosé espumante nas mãos. "Você está doente? Está comendo? Tirou uma folga do trabalho?"

"Me demiti", menti. "Quero dedicar mais tempo aos meus interesses."

"Que interesses? Não sabia que você tinha *interesses*." Ela parecia se sentir completamente traída e tropeçou de leve no salto.

"Você está bêbada?"

"Você largou mesmo o emprego?", perguntou, se livrando dos sapatos com um chute e se jogando na poltrona.

"Prefiro comer merda a ter que trabalhar praquela piranha por mais um dia", disse.

"Você não disse que ela havia sido casada com um príncipe ou algo assim?"

"Exatamente", respondi. "Mas era só um boato, de qualquer jeito."

"Então você não está doente?"

"Estou *descansando*." Deitei no sofá para fins de demonstração.

"Faz sentido", disse Reva, aquiescendo com a cabeça, embora desse pra notar que estava desconfiada. "Tire um tempo pra descansar e pense em qual será seu próximo passo. Oprah diz que nós mulheres nos apressamos em tomar decisões porque não acreditamos que possa aparecer algo melhor. E assim ficamos presas a carreiras e casamentos medíocres. *Amém!*"

"Não estou fazendo um remanejamento de carreira", comecei a explicar, mas não fui mais longe do que isso. "Estou tirando um tempo pra mim. Vou dormir por um ano."

"E como vai fazer isso?"

Puxei um frasco de Lorax que se aninhava entre as almofadas do sofá, abri e saquei dois comprimidos. De soslaio, via Reva se contorcendo. Só para horrorizá-la, mastiguei os dois, engoli e tampei a boca. Então enfiei o frasco de volta entre as almofadas, deitei e fechei os olhos.

"Bem, estou feliz que você tenha um plano de vida. Mas, pra ser sincera", começou Reva, "estou preocupada com a sua saúde. Você perdeu pelo menos um quilo e meio desde que começou a tomar todos esses remédios." Reva era especialista em adivinhar o peso das coisas e das pessoas. "E a longo prazo vai tomar remédio pro resto da vida?"

"Não estou pensando tão longe. E posso não viver tanto assim." Bocejei.

"Não diga isso", disse Reva. "Olha pra mim. Por favor."

Abri os olhos, pisquei algumas vezes e me virei para encarar a névoa perfumada que vinha da poltrona. Estreitei os olhos e foquei nela. Reva usava um vestido que reconheci de um catálogo da J. Crew do ano anterior: uma peça de seda crua num tom de rosa que eu só poderia descrever como "rosa chiclete". Batom vermelho-alaranjado.

"Não fique na defensiva, mas você está meio ausente ultimamente", ela disse. "Você tem estado meio distante. E está ficando cada vez mais magra." Acho que isso incomodou Reva mais do que tudo. Ela deve ter sentido que eu estava trapaceando no jogo da magreza, um jogo no qual ela sempre se esforçou muito. Nós éramos da mesma altura, mas eu vestia trinta e seis e ela trinta e oito. "Quarenta quando estou na TPM." A discrepância entre nossos corpos era enorme no mundo de Reva.

"Só não acho que dormir o dia todo seja saudável", ela disse, dobrando uma goma de mascar na boca. "Talvez tudo o que você esteja precisando é de um ombro amigo pra chorar. Você ficaria surpresa com quanto se sentiria melhor depois de uma bela chorada. Melhor do que qualquer comprimido." Quando Reva dava conselhos, parecia que ela estava lendo um roteiro de filme malfeito para a TV. "Uma voltinha pelo quarteirão pode fazer maravilhas pelo seu humor", ela disse. "Você não está com fome?"

"Não estou com vontade de comer", disse. "E não sinto vontade de ir a lugar nenhum."

"Às vezes você precisa agir *como se tivesse vontade*."

"A dra. Tuttle podia passar alguma coisa para te ajudar a se livrar desse seu vício em chiclete", disse a ela categoricamente. "Eles têm remédio pra tudo agora."

"Não *quero* me livrar disso", respondeu Reva. "E não é um vício. É um hábito. E eu gosto de chiclete. É uma das poucas coisas na vida que me fazem sentir bem comigo mesma, porque faço isso pelo meu próprio prazer. Chiclete e academia. Pra mim essas duas coisas são como uma espécie de terapia."

"Mas você poderia substituir isso por remédios", argumentei. "E poupar sua mandíbula de toda essa mastigação." Eu não dava a mínima para a mandíbula de Reva.

"Ahã", ela respondeu. Embora olhasse diretamente pra mim, estava tão extasiada com o chiclete que mastigava que sua mente parecia se afastar dali. Quando acordou de seu pequeno devaneio, ela se levantou, cuspiu o chiclete na lata de lixo da cozinha, voltou, deitou no chão e começou a fazer abdominais ritmadas, fazendo uma prega na parte do meio do vestido. "Cada um tem sua própria maneira de lidar com o estresse", ela disse, e começou a dissertar sobre os benefícios de pequenos hábitos cotidianos. "Formas de acalmar a si mesma", foi como descreveu aquilo. "Como meditação." Bocejei, odiando-a. "Dormir o tempo todo não vai te fazer se sentir melhor", ela disse. "Porque você não está mudando nada enquanto dorme. Está apenas evitando seus problemas."

"Que problemas?"

"Não sei. Você parece achar que tem muitos problemas. Eu realmente não entendo. Você é uma garota inteligente", disse Reva. "Pode fazer o que quiser, pode inventar qualquer coisa." Ela se levantou e vasculhou a bolsa atrás de um brilho labial. Dava pra ver que olhava de soslaio para a garrafa de rosé suada. "Vem comigo esta noite, por favor. Vamos? Minha amiga Jackie, do pilates, está dando uma festa de aniversário num bar gay no Village. Eu não ia, mas se você vier comigo pode ser divertido. Ainda são sete e meia. E é sexta à noite. Vamos beber isso aqui e sair. A noite é uma criança!"

"Estou cansada, Reva", falei, abrindo um frasco de Polaramine.

"Ah, vai."

"Vai sem mim."

"Você quer ficar aqui e desperdiçar sua vida dormindo? É isso?"

"Se você soubesse o que te faria feliz, não faria isso?", perguntei.

"Viu só, você *quer* ser feliz. Então por que me disse que ser feliz era uma coisa idiota?", perguntou. "Você me disse isso mais de uma vez."

"Me deixe ser burra", respondi, dando um gole no Polaramine. "Vai você ser esperta e depois me conta como é ótimo. Estarei aqui, hibernando."

Reva revirou os olhos.

"É *natural*", respondi. "Antigamente as pessoas hibernavam o tempo todo."

"Seres humanos nunca *hibernaram*. De onde está tirando isso?"

Reva parecia bem patética quando ficava indignada. Ela se levantou e ficou ali parada, segurando sua bolsa idiota, cópia de uma Kate Spade ou sei lá do quê, o cabelo puxado para trás num rabo de cavalo e coroado com uma tiara idiota de plástico imitando tartaruga. Estava sempre de escova feita, as sobrancelhas se fechando em finos parênteses arqueados, as unhas pintadas em vários tons de rosa e roxo, como se tudo isso a tornasse uma pessoa maravilhosa.

"Isso não está em discussão, Reva. É o que eu vou fazer. Se você não consegue aceitar, então não precisa."

"Eu aceito", ela disse, a voz descendo vários tons. "Só acho uma pena perder uma noite agitada." Ela lutou para encaixar seus pés brancos num Louboutin falso. "Sabe que no Japão as empresas têm salas especiais para os empresários tirarem um cochilo? Li sobre isso na *GQ*. Amanhã venho ver como você está. Eu *te amo*", ela disse, pegando a garrafa de vinho rosé ao sair.

No começo eu sonhava muito, sobretudo no pico do verão, quando o ar do apartamento ficava espesso com o frescor insalubre do ar-condicionado. A dra. Tuttle disse que os sonhos podiam indicar o efeito positivo de certos medicamentos. Sugeriu que eu mantivesse um registro deles de modo a rastrear "a intensidade minguante do sofrimento".

"Não gosto do termo 'diário de sonhos'", ela disse em nossa consulta presencial de junho. "Prefiro algo como 'relatório de visões noturnas'."

Assim, comecei a anotar em post-its. Logo que acordava, escrevia qualquer coisa que conseguisse lembrar. Depois fazia uma cópia desses relatos com uma letra miserável num bloco de notas escolar, acrescentando detalhes aterrorizantes para no mês seguinte entregar à dra. Tuttle. Minha esperança era que ela achasse que eu estava precisando de mais sedativos. Em um dos sonhos, eu estava numa festa num navio de cruzeiro quando vi um golfinho solitário nadando em círculos à distância. No diário de sonhos eu dizia que estava no *Titanic* e que o golfinho era um tubarão, que também era Moby Dick, que também era Dick Tracy e um pênis duro e túrgido e que o supracitado pênis discursava para uma multidão de mulheres e crianças e balançava uma arma. "Então fiz uma saudação nazista pra todo mundo e pulei no mar e todos os outros foram executados."

Em outro sonho eu perdia o equilíbrio num vagão de metrô em alta velocidade e "acabava agarrando o cabelo de uma senhora idosa pra tentar me segurar e acidentalmente arrancava o cabelo dela. Seu couro cabeludo estava cheio de larvas, e as larvas ameaçavam me matar".

Sonhei que subia a esplanada numa Mercedes enferrujada, do lado do East River, e que saía "arrastando maratonistas magricelas, empregadas domésticas hispânicas e poodles minúsculos, meu coração explodindo de felicidade ao ver todo aquele sangue".

Sonhei que pulava da ponte do Brooklyn e encontrava uma aldeia submersa abandonada porque seus habitantes ouviram falar que a vida seria melhor em outro lugar. "Uma serpente que cospe fogo me estripou e engoliu minhas entranhas." Sonhei que roubava o diafragma de alguém e colocava na minha boca "antes de fazer um boquete no porteiro do meu prédio". Cortei minha orelha e a enviei por e-mail pra Natasha, acompanhada de um boleto de um milhão de dólares. Engoli uma abelha viva. "Comi uma granada." Comprei um par de botas de cano curto de camurça vermelha e desci a Park Avenue. "As sarjetas tinham sido inundadas de fetos abortados."

"Tsc, tsc", disse a dra. Tuttle quando mostrei o diário. "Parece que você ainda está nas profundezas do desespero. Vamos de Gardenal. Mas, se tiver pesadelos com objetos inanimados tomando vida ou se experimentar coisas do tipo enquanto está acordada, *interrompa*."

E ainda havia os sonhos com os meus pais, que nunca contei para a dra. Tuttle. Sonhei que meu pai tinha um filho bastardo que ele mantinha no armário do escritório. Encontrei o menino pálido e desnutrido e juntos conspiramos para incendiar a casa. Sonhei que ensaboava no chuveiro os pelos pubianos da minha mãe com uma barra de sabonete Ivory e que em seguida puxava um emaranhado de cabelos da sua vulva. Era como uma daquelas bolas de pelo que os gatos vomitam ou um bolo de cabelo entupindo o ralo da banheira. No sonho, eu entendia que aquele emaranhado de cabelos era o câncer do meu pai.

Sonhei que arrastava o cadáver do meu pai e o da minha mãe para um barranco e esperava ao luar calmamente, à procura de abutres. Em alguns sonhos atendia o telefone e ouvia um longo silêncio, que interpretava como o desdém silencioso da minha mãe. Ou ouvia estalos e gritava "Mamãe? Papai?", desesperada e arrasada por não ouvir o que eles diziam. Outras vezes apenas lia transcrições de diálogos entre os dois, digitados em um papel fino, translúcido e envelhecido que se desfazia nas minhas mãos. Vez ou outra via meus pais em lugares como o saguão do meu prédio ou os degraus da Biblioteca Pública de Nova York. Minha mãe parecia desapontada e apressada, como se o sonho a tivesse tirado de uma tarefa importante. "O que houve com o seu cabelo?", ela me perguntou no Starbucks da Lexington Avenue, depois correu pelo corredor rumo ao banheiro.

Nos meus sonhos meu pai estava sempre doente, os olhos encovados, manchas engorduradas nas grossas lentes dos óculos. Certa vez ele era meu anestesista. Eu estava botando silicone no peito. Ele me deu a mão num cumprimento meio hesitante, como se não soubesse ao certo quem eu era ou se já nos conhecíamos. Deitei na maca de aço. Aqueles sonhos com ele eram os mais perturbadores. Acordava em pânico, pegava mais uns comprimidos de Remeron ou do que quer que fosse e voltava a dormir.

Nas horas de vigília pensava frequentemente na casa dos meus pais — seus cantos e recantos, o modo como um quarto parecia de manhã, à tarde, no silêncio da noite durante o verão, a luz amarela suave do poste da frente cintilando na mobília de madeira polida do escritório. O advogado imobiliário recomendou que eu vendesse o imóvel. A última vez que estive lá foi no verão seguinte à morte dos meus pais. Trevor e eu estávamos no meio de um dos nossos muitos retornos românticos fracassados. Por isso passamos um fim de semana nas montanhas de Adirondacks, e no caminho de volta para Nova York fizemos um desvio até minha cidade natal. Trevor ficou no conversível alugado, enquanto eu andava ao redor da casa, olhando os espaços vazios lá de dentro através das janelas empoeiradas. Não era muito diferente de quando eu morava ali. "Não venda até que o mercado melhore", gritou Trevor. Me emocionei e me envergonhei, por isso me afastei e pulei no lago sujo que ficava atrás da garagem. Saí de lá coberta de musgo podre. Trevor saiu do carro pra me lavar com uma mangueira que estava no jardim, me fez tirar a roupa e vestir seu blazer antes de entrar no carro, depois me pediu um boquete no estacionamento da Poughkeepsie Galleria em troca de uma roupa nova. Topei. Para ele, aquilo era um paraíso erótico.

Quando Trevor me deixou na faculdade, liguei para o advogado imobiliário e disse que não podia me desfazer da casa. "Não até que eu tenha certeza de que nunca vou casar e ter filhos", foi o que eu disse. Não era verdade. Eu tampouco me importava com o mercado imobiliário ou com quanto poderia conseguir. Queria manter aquela casa comigo do jeito que se guarda uma carta de amor. Era a prova de que eu nem sempre estivera completamente sozinha neste mundo. Mas também acho que estava me apegando à perda, ao vazio da própria casa, como que para afirmar que era melhor ficar sozinha do que presa a pessoas que deveriam te amar mas não conseguiam.

    Quando eu era pequena, em alguns momentos minha mãe conseguia me fazer me sentir muito especial, fazendo cafuné na minha cabeça, seu perfume doce e leve, suas mãos pálidas e ossudas, elegantes a balançar pulseiras de ouro, o cabelo com luzes, seu batom, o hálito amadeirado pelo cigarro e adstringente pela bebida. Mas no momento seguinte ela parecia ter sido engolida por uma névoa, distraída, sofrendo de algum medo ou preocupação grave, lutando para lidar com a simples ideia da minha existência. "Não posso te ouvir agora", era o que ela dizia nesses momentos, andando de cômodo em cômodo, distante, procurando por algum pedaço de papel em que rabiscara um número de telefone. "Se você jogou fora, eu juro…", avisava. Ela sempre ligava para alguém — acho que para alguma amiga nova. Nunca soube onde ela conhecia essas mulheres, essas novas amigas — no salão de beleza? No empório de bebidas?

    Se quisesse, eu poderia ter dado uma de adolescente rebelde. Pintar o cabelo de roxo, ser reprovada, passar fome, furar o nariz, sair por aí dando pra geral, essas coisas. Eu via outros adolescentes fazendo isso, mas na verdade não tinha energia para me dar ao trabalho. Queria atenção, mas me recusava a me humilhar pedindo por ela. Seria punida se demonstrasse sinais de sofrimento, sabia disso. Sendo assim, eu me comportava. Fazia tudo certinho. Minha revolta era silenciosa, em meus pensamentos. Meus pais mal pareciam notar que eu existia. Uma vez, enquanto eu usava o banheiro, ouvi os dois sussurrando no corredor.

"Você viu que ela está com duas espinhas no queixo?" Minha mãe perguntou a meu pai. "Não suporto olhar para elas. São *rosa-choque*."

"Leve ela a um dermatologista, já que está tão preocupada", disse meu pai.

Alguns dias depois a empregada me trouxe um tubo de pomada pra espinha. Era do tipo que tinha uma leve cor de base.

Na escola particular onde estudava, eu tinha um bando de seguidoras tipo Reva. As outras garotas me copiavam e falavam de mim. Eu era loira, magra e bonita — foi isso que as pessoas viram em mim. Era com isso que essas garotas se importavam. Aprendi a flutuar entre afetos baratos provenientes da insegurança das outras pessoas. Não ficava na rua até tarde. Só fazia meu dever de casa, deixava o quarto arrumado e aguardava até que pudesse crescer e ir embora e me sentir normal, assim esperava. Não saí com meninos até a faculdade, até Trevor.

Quando estava preparando a papelada para me inscrever em alguma faculdade, ouvi minha mãe conversando com meu pai a meu respeito mais uma vez.

"Você precisa ler a redação que ela escreveu para apresentar às faculdades", disse minha mãe. "Ela não vai me deixar ler de jeito nenhum. Fico preocupada que ela tente fazer algo criativo e acabe numa faculdade pública horrorosa."

"Tive alguns alunos de pós-graduação brilhantes que vieram de faculdades públicas", meu pai respondeu, calmo. "E se ela só quiser se formar em letras ou algo assim, não faz diferença para onde vá."

No fim, acabei mostrando a redação para minha mãe. Não contei que Anton Kirschler, o artista sobre o qual escrevi, era um personagem que eu mesma havia inventado. Eu falava que seu trabalho era útil para nos mostrar como manter "uma abordagem humanista da arte ante a ascensão da tecnologia". Descrevi várias peças inventadas: *Cachorro urinando no computador*,

Almoço de hambúrguer da Bolsa de Valores. Dizia que seu trabalho me atraía porque estava interessada em como "a arte criava o futuro". Era uma redação medíocre. Minha mãe não se abalou com aquilo, o que me chocou, e devolveu a redação sugerindo que eu procurasse algumas palavras no dicionário de sinônimos porque tinha muita repetição. Não procurei. Me inscrevi em Columbia antes do prazo normal e fui aceita.

Na véspera da minha mudança para Nova York, meus pais sentaram para conversar comigo.

"Sua mãe e eu achamos que temos certa responsabilidade de te preparar para a vida numa instituição frequentada por ambos os gêneros", disse meu pai. "Você já ouviu falar em oxitocina?"

Balancei a cabeça.

"É uma coisa que vai te deixar doida", minha mãe disse, chacoalhando o gelo do copo. "Você vai perder todo o bom-senso que trabalhei duro para incutir em você desde o dia em que nasceu." Ela estava brincando.

"A oxitocina é um hormônio liberado durante a *cópula*", prosseguiu meu pai, encarando a parede vazia atrás de mim.

"*Orgasmo*", minha mãe sussurrou.

"Biologicamente, a oxitocina serve a um propósito", disse meu pai.

"Aquela sensação *difusa* de afeição."

"É o que liga um casal. Sem ela, a espécie humana teria sido extinta há muito tempo. As mulheres experimentam seus efeitos com mais intensidade que os homens. É bom estar ciente disso."

"Para quando você for jogada fora junto com o lixo do dia anterior", disse minha mãe. "Homens são como cachorros. Mesmo os professores, não se engane."

"Os homens não se apegam tão facilmente. São mais racionais", meu pai a corrigiu. Depois de uma longa pausa, ele disse: "A gente só quer que você tome cuidado".

"Ele quis dizer pra você usar camisinha."

"E tome *isto*."

Meu pai me deu uma pequena embalagem com pílulas anticoncepcionais cor-de-rosa em formato de concha.

"Asqueroso", era tudo o que eu tinha a dizer.

"E seu pai está com câncer", disse minha mãe.

Eu não disse nada.

"Câncer de próstata não é como câncer de mama", disse meu pai, dando as costas. "Eles operam e você segue em frente."

"O homem sempre morre primeiro", minha mãe sussurrou.

Meu pai se levantou e foi se afastando da mesa, a cadeira fazendo um barulho irritante.

"Eu só estava brincando", disse minha mãe, espantando do rosto a fumaça do cigarro.

"Sobre o câncer?"

"Não."

Conversa encerrada.

Mais tarde, enquanto eu fazia a mala pra me mudar para o dormitório da faculdade, minha mãe se aproximou e ficou na porta do meu quarto, segurando o cigarro no corredor como se isso fizesse alguma diferença. A casa inteira sempre cheirava a fumaça abafada. "Você sabe que eu não gosto quando você chora", ela disse.

"Eu não estava chorando", respondi.

"Espero que não esteja levando nenhuma bermuda. Ninguém usa bermuda em Manhattan. E vão te dar um tiro na rua se você andar por aí com aquele tênis nojento. Você vai ficar ridícula. Seu pai não está pagando uma nota para você parecer ridícula em Nova York."

Queria que ela pensasse que eu estava chorando pelo câncer do meu pai, mas não era bem isso. "Bem, que saco, se você insiste em ficar choramingando...", disse minha mãe, virando-se para sair. "Sabe que, quando você era bebê, eu esmaguei um Valium na sua mamadeira? Você estava com cólica e chorou por horas e horas, inconsolável e sem nenhum bom motivo. E por favor troque de camiseta. Dá pra ver o suor nas axilas. Vou pra cama."

Depois que meus pais morreram, a casa passou a ser administrada por uma imobiliária e foi alugada para a família de um professor de história. Nunca precisei encontrá-los. A imobiliária cuidava da manutenção, do jardim e fazia todos os reparos necessários. Quando alguma coisa quebrava ou se desgastava, eles me enviavam uma carta com uma foto e a estimativa de preço. Quando me sentia sozinha, entediada ou nostálgica, olhava essas fotos tentando me mortificar pela banalidade daquele lugar — um degrau quebrado, um vazamento no porão, um teto descascando, um armário quebrado. Então começava a ter pena de mim mesma, não porque sentisse falta dos meus pais, mas porque não havia nada que eles pudessem me dar se estivessem vivos. Não eram meus amigos. Não me confortavam nem davam bons conselhos. Não eram pessoas com as quais eu quisesse conversar. Eles mal me conheciam. Estavam ocupados demais para se darem ao trabalho de imaginar como seria minha vida em Manhattan. Meu pai estava ocupado morrendo — no mesmo ano que recebeu o diagnóstico, o câncer se espalhou para o pâncreas, depois para o estômago —, e minha mãe estava ocupada sendo ela mesma, o que no final parecia pior do que ter câncer.

Ela só me visitou uma vez em Nova York, no segundo ano da faculdade. Pegou o trem e chegou uma hora atrasada para me encontrar no Guggenheim. Eu podia sentir o cheiro de álcool na sua respiração enquanto vagávamos pelo museu. Ela estava nervosa e quieta. "Ah, isso não é bonito?", dizia sobre um Kandinsky, um Chagall. Ela me deixou abruptamente quando chegamos ao topo da rampa, dizendo que tinha perdido a noção do tempo. Eu a segui até o andar de baixo, depois até a saída. Observei-a tentando chamar um táxi, se agitando e depois ficando espantada a cada vez que passava um táxi ocupado. Não sei qual era o problema dela. Talvez tenha visto uma obra de arte que a tivesse perturbado. Ela nunca me explicou isso direito. Mas depois me ligou do hotel e me convidou para jantar naquela noite. Era como se nada de estranho tivesse acontecido no museu. Ela não era responsável por nada quando estava bêbada. Eu já estava acostumada.

Meu apartamento da rua 84 Leste foi pago em dinheiro, com a minha herança. Da janela da sala de estar dava pra ver um pouco do parque Carl Schurz e um pedaço do East River. Eu podia avistar as babás com seus carrinhos. Donas de casa abastadas subindo e descendo a esplanada com viseiras e óculos escuros. Elas lembravam minha mãe — a vida sem sentido, a obsessão por si mesmas —, a diferença é que minha mãe era bem menos ativa fisicamente. Se me inclinasse pela janela do quarto, dava pra ver a ponta mais alta da Roosevelt Island com sua estranha geometria de prédios de tijolos baixos. Gostava de pensar que aqueles prédios abrigavam criminosos insanos, embora soubesse que não era o caso, pelo menos não hoje em dia. Quando comecei a dormir o tempo inteiro, não olhava a vista com muita frequência. Me contentava com um vislumbre. O sol nascia a leste e se punha a oeste. Isso não havia mudado, não mudaria nunca.

A velocidade do tempo variava, passava de modo lento ou rápido, dependendo da profundidade do meu sono. Fiquei hipersensível quanto ao gosto da água da torneira. Às vezes tinha um sabor turvo e dava para sentir o gosto dos minerais. Noutras parecia gasosa, com gosto de bafo alheio. Meus dias favoritos eram os que passavam em branco. Eu me pegava sem respirar, atirada no sofá, olhando para um redemoinho de poeira que pousava sobre o piso de madeira. Por um segundo lembraria que estava viva, depois desvanecia. Atingir esse estado exigia elevadas dosagens de Seroquel ou lítio combinados com Frontal e Stilnox ou Donaren, e eu não queria abusar dessas receitas. A sedação exigia um cálculo preciso. Na maioria dos dias, o objetivo era atingir um ponto do qual eu pudesse sair facilmente e sem maiores sustos. Meus pensamentos eram banais. Meu pulso, parcimonioso. Só o café fazia meu coração acelerar um pouco mais. A cafeína era meu exercício. Ela catalisava minha ansiedade para que eu pudesse dormir de novo.

Os filmes que mais via eram *O fugitivo*, *Busca frenética*, *Salve-me quem puder* e *A ladrona*. Eu amava Harrison Ford e Whoopi Goldberg. Whoopi Goldberg era minha heroína número um. Fiquei muito tempo olhando pra ela na tela e imaginando sua vagina. Sólida, honesta, magenta. Eu tinha VHS de todos os seus filmes, mas vários deles eram fortes demais para serem vistos com frequência. *A cor púrpura* era muito triste. *Ghost* me enchia de saudade, e nesse Whoopi tinha um papel menor. *Mudança de hábito* era complicado porque as músicas grudavam na minha cabeça e me faziam querer rir, pirar, dançar, agir de maneira apaixonada e coisas do tipo. Isso não seria bom para o meu sono. Só conseguia lidar com esse filme uma vez por semana, mais ou menos. Costumava assistir a *Segredos de uma novela* e *O jogador* consecutivamente, como se fossem duas partes de um único filme.

Nas minhas incursões à Rite Aid para comprar meus remédios, aproveitava para pegar fitas de VHS, talvez um pacote de pipoca de micro-ondas, às vezes uma garrafa de dois litros de Sprite diet, se sentisse que tinha forças para carregar até em casa. Aqueles filmes baratos geralmente eram terríveis — *Showgirls*, *Inimigo do Estado*, *Natal em família*, estrelado por Jonathan Taylor Thomas, cujo rosto me enervava —, mas não me importei de assistir uma ou duas vezes. Quanto mais estúpido o filme, menos minha mente teria que trabalhar. Mesmo assim, preferia os mais familiares — Harrison Ford e Whoopi Goldberg fazendo o que sempre fazem.

No começo de agosto, quando fui ver a dra. Tuttle em minha consulta mensal, ela estava de camisola branca sem manga com rendas esfarrapadas no peito e enormes óculos escuros cor de mel com proteção lateral. Ainda usava o colar cervical. "Fiz um procedimento nos olhos", explicou. "E o ar central vazou. Desculpe a umidade." O suor borbulhava em seu peito e nos braços feito bolhas. O cabelo estava todo arrepiado. Os gatos gordos jaziam no sofá molenga. "Eles estão superaquecidos", disse a dra. Tuttle. "Melhor não incomodá-los." Não havia outro lugar pra sentar, então fiquei em pé contra a estante, me preparando mentalmente e respirando fundo. O cheiro de amônia era intenso naquela sala. Parecia vir dos gatos.

"Você trouxe seu livro de pesadelos?", perguntou a dra. Tuttle, sentando-se atrás da mesa.

"Esqueci meu diário hoje", respondi. "Mas os pesadelos estão cada vez piores", menti. Na verdade, meus sonhos haviam se abrandado.

"Me conte um deles, só para eu poder atualizar minhas anotações", disse a dra. Tuttle, puxando uma pasta. Ela parecia cansada e com calor, mas não desorganizada.

"Bom..." Vasculhei minha mente em busca de algo perturbador. Tudo o que conseguia lembrar era dos enredos dos filmes terríveis que tinha visto recentemente. "Tive um pesadelo em que eu me mudava para Las Vegas e conhecia uma costureira e dançava no colo das pessoas. Então encontrei um velho amigo que me deu um disquete cheio de informações sigilosas do governo e virei suspeita em um caso de assassinato, e a Agência de Segurança Nacional me perseguia, e, em vez de comprar um Porsche de presente de Natal, um time de futebol me abandonou no deserto."

A dra. Tuttle rabiscou diligentemente, depois ergueu a cabeça esperando por mais.

"Daí comecei a comer areia pra tentar me matar em vez de morrer de desidratação. Foi horrível."

"Muito preocupante", murmurou.

Me escorei na estante de livros. Era difícil ficar em pé — dois meses de sono murcharam meus músculos. E ainda podia sentir o Donaren que havia tomado pela manhã.

"Tente dormir de lado quando possível. Um estudo recente que fizeram na Austrália diz que, quando você dorme de costas, é mais provável que tenha pesadelos envolvendo afogamento. Não é nada conclusivo, é claro, já que eles estão do lado oposto da Terra. Então, na verdade, você pode tentar dormir de bruços e ver o que acontece.

"Dra. Tuttle", comecei, "estava pensando se a senhora não poderia prescrever algo um pouco mais forte para a hora de dormir. Isso de ficar virando de um lado pro outro à noite é tão frustrante. É um inferno."

"Inferno? Posso te dar algo para isso", ela disse, pegando seu receituário. "A mente controla a matéria, dizem. Mas o que é a matéria, afinal? Você observa a matéria num microscópio e vê que não passa de pequenos pedaços de coisinhas. Partículas atômicas. Partículas subatômicas. Olha mais e mais de perto e uma hora não encontra nada. Somos basicamente espaço vazio. A maior parte de nós é nada. *Lá-lá-ri-lá*. E somos todos o *mesmo* nada. Você e eu, apenas preenchendo o espaço com o nada. Nós poderíamos andar através das paredes, se realmente quiséssemos fazer isso, é o que dizem. O que eles não mencionam é que andar através de uma parede provavelmente te mataria. Não se esqueça disso."

"Não vou esquecer."

A dra. Tuttle me deu as receitas.

"Aqui tem algumas amostras", ela disse, empurrando uma cesta de Promaxatina na minha direção. "Ah não, espera, esses são para obsessivos-compulsivos com problemas de impotência. Vão te deixar acordada a noite toda." Puxou a cesta de volta. "Te vejo em um mês."

Peguei um táxi de volta, comprei os remédios novos e fiz a reposição dos antigos na Rite Aid, comprei um pacote de Skittles, fui pra casa, mandei os Skittles e uns restos de Primid pra dentro e voltei a dormir.

No dia seguinte, Reva veio se queixar que sua mãe estava morrendo e tagarelar sobre Ken. O alcoolismo dela parecia piorar naquele verão. Ela tirou uma garrafa de Jose Cuervo e uma lata de Mountain Dew diet de sua bolsa nova. Era uma imensa cópia de um modelo da Gucci em verde-limão e textura de pele de crocodilo.

"Vai um pouco de tequila?"

Balancei a cabeça negativamente.

Reva tinha um método interessante de misturar bebidas. Depois de cada gole de refrigerante, ela despejava um pouco de Jose Cuervo na lata para preencher o espaço outrora ocupado, de modo que ao final daquela latinha ela já estaria bebendo tequila pura. Era fascinante. Me peguei imaginando a proporção de Mountain Dew para Jose Cuervo naquela lata, qual seria a fórmula para medir essa proporção gole a gole. Estudei os paradoxos de Zenão nas aulas de álgebra do ensino médio, mas nunca entendi ao certo. Divisibilidade infinita, a teoria das metades, seja lá o que for. Esse dilema filosófico era exatamente o tipo de coisa que Trevor teria gostado de me explicar. Ele se sentava à minha frente no jantar, bebericando sua água gelada, resmungando interminavelmente sobre frações de centavos e o preço flutuante do petróleo, por exemplo, enquanto seus olhos varriam o salão às minhas costas, como que para afirmar que eu era idiota, que o entediava. Alguém muito mais interessante poderia se levantar de uma das mesas naquele momento para ir ao banheiro cheirar pó. Essa ideia me doeu. Ainda não conseguia aceitar que Trevor fosse um babaca imbecil. Não queria acreditar que tinha me degradado por alguém que não merecia. Ainda estava presa àquele vestígio de vaidade. Mas estava decidida a dormir até que isso desaparecesse.

"Você ainda está obcecada pelo Trevor, não é?", disse Reva, sorvendo a mistura da lata.

"Acho que tenho um tumor", respondi, "no cérebro."

"Esquece o Trevor", disse Reva. "Você vai conhecer alguém melhor, se um dia sair deste apartamento."

Tomou um gole, se serviu de mais tequila e começou a dissertar sobre como "tudo é uma questão de atitude" e "o pensamento positivo é mais poderoso do que o pensamento negativo, mesmo em iguais proporções". Ela havia lido recentemente um livro chamado *Como atrair o homem dos seus sonhos usando a técnica da auto-hipnose*, então continuou nessa ladainha, agora explicando a diferença entre a "realização de seus desejos" e a "revelação de sua realidade". Tentei não escutar. "Seu problema é que você é passiva. Você senta e espera as coisas mudarem, mas elas nunca vão mudar sozinhas. Deve ser um jeito doído de viver. Muito desempoderador", disse, com um arroto.

Eu tinha tomado uns Risperdais e estava me sentindo tonta.

"Você já ouviu a expressão 'coma merda ou morra?'", perguntei.

Reva desenroscou a tequila e despejou mais um pouco na latinha. "É coma merda *e* morra", ela disse.

Passamos um tempo sem dizer mais nada. Minha cabeça voltou a Trevor, para a forma como ele desabotoava a camisa e puxava a gravata, para a cortina cinza de seu quarto, para suas narinas dilatadas refletidas no espelho enquanto aparava os pelos do nariz, o cheiro de sua loção pós-barba. Fiquei grata quando Reva quebrou o silêncio.

"Bom, pelo menos no sábado você vai sair pra beber? É meu aniversário."

"Não posso, Reva", disse. "Sinto muito."

"Estou dizendo pra todo mundo pra gente se encontrar no Skinny Kitty por volta das nove."

"Tenho certeza de que você vai curtir mais se eu não estiver lá pra estragar."

"Não seja assim", murmurou Reva, alcoolizada. "Logo estaremos velhas e feias. A vida é curta, sabe? Morra jovem e deixe um belo cadáver. Quem foi que disse isso?"

"Alguém que tinha tara por cadáver."

Reva era só uma semana mais velha que eu. No dia 20 de agosto de 2000, fiz vinte e sete anos em meu apartamento, imersa numa névoa de remédios, fumando cigarro mentolado velho no banheiro e lendo um número antigo da *Architectural Digest*. Em dado momento, tateei a gaveta de maquiagem em busca de um delineador pra marcar coisas que tinha achado legais nas páginas da revista — os cantos vazios dos quartos, os cristais de vidro pontiagudos pendurados em um lustre. Ouvi o celular tocar mas não atendi. "Feliz aniversário", dizia Reva em sua mensagem. "*Te amo.*"

À medida que o verão ia arrefecendo, meu sono se tornava tênue e vazio como um quarto de paredes brancas e ar-condicionado morno. Se sonhei, sonhei que estava deitada na cama. Parecia superficial, por vezes até chato. Eu tomava alguns Risperdais e Stilnoxs a mais quando ficava nervosa, refletindo sobre o passado. Tentei não pensar em Trevor. Apagava as mensagens de Reva sem ouvir nenhuma. Assisti *Força Aérea Um* doze vezes no mudo. Tentei expulsar tudo da minha cabeça.

O Valium ajudou. O Lorax ajudou. Melatonina mastigável e Fenergan e Naldecon e Dormonid ajudaram.

Minha visita à dra. Tuttle em setembro também foi banal. Além do calor sufocante, sofri para andar do meu prédio até o táxi e do táxi ao consultório dela. Não sentia quase nada. Não estava ansiosa nem desanimada nem ressentida nem aterrorizada.

"Como tem se sentido?"

Levantei e refleti sobre a questão por cinco minutos enquanto a dra. Tuttle percorria o consultório ligando um arsenal de ventiladores, todos da mesma marca e modelo, dois posicionados no aquecedor sob as janelas, um em sua mesa e dois nos cantos da sala, no chão. Ela era impressionantemente ágil. Não estava mais com o colar cervical.

"Estou bem, acho", gritei devagar, elevando minha voz sobre o zumbido.

"Você está pálida", comentou a dra. Tuttle.

"Tenho evitado pegar sol", contei.

"Isso é bom. A exposição ao sol promove o colapso celular, mas ninguém quer falar disso."

Ela própria exibia um bronzeado de leitão rosado e usava um vestido cor de palha que parecia ser feito de linho grosso e tinha um caimento de saco de batatas. Seu cabelo estava arrepiado pra cima. Um colar de pérolas apertado e pesado rolava pra cima e pra baixo em seu pescoço conforme ela falava. Os ventiladores fizeram um rugido de vento e me deixaram tonta. Me agarrei à estante derrubando uma cópia volumosa de *Morte aparente* no chão.

"Desculpa", gritei, elevando minha voz por cima do barulho e pegando o livro do chão.

"É uma obra interessante, sobre gambás. Os animais têm tanta sabedoria." A dra. Tuttle fez uma pausa. "Espero que não seja vegetariana", ela disse, abaixando os óculos.

"Não sou."

"Isso é um alívio. Agora me diga como se sente. Suas emoções estão muito planas hoje", disse a dra. Tuttle. Ela estava certa. Eu mal tinha entusiasmo para me manter de pé. "Está tomando o Risperdal?"

"Pulei ontem. Estava tão ocupada no trabalho que esqueci. A insônia está bem ruim esses dias", menti.

"Você está exausta. Pura e simplesmente exausta." Ela rabiscou algo em seu receituário. "De acordo com o livro que você tem em mãos, o gene da morte é passado de mãe para filho pelo canal de parto. Tem algo a ver com microdermoabrasões e erupções vaginais infecciosas. Sua mãe apresenta algum sinal de disfunção hormonal?"

"Acho que não."

"Talvez seja bom perguntar a ela. Se você *for* portadora, posso te sugerir algo. Uma loção de ervas. Só se você quiser. Teria que fazer um pedido especial do Peru."

"Nasci de cesárea, caso isso seja um fator."

"O método nobre", disse. "De todo modo, pergunte a ela. A resposta pode esclarecer algo sobre sua incapacidade mental e biorrítmica."

"Bem, ela está morta", lembrei.

A dra. Tuttle pousou a caneta e juntou as mãos em oração. Pensei que fosse cantar uma música ou fazer algum feitiço. Não esperava que ela fosse sentir pena ou manifestasse alguma compaixão. Mas, em vez de cantarolar ou sugerir alguma simpatia, ela levantou o rosto, espirrou violentamente, enxugou as gotículas de saliva com uma enorme toalha de banho que estava no chão, perto da cadeira da escrivaninha, e rabiscou mais um pouco em seu bloco.

"E como ela morreu?", perguntou. "Suponho que não tenha sido por um distúrbio da glândula pineal."

"Misturou álcool com sedativos", respondi. Estava letárgica demais para mentir. E se a dra. Tuttle já tinha esquecido que eu lhe dissera que minha mãe havia cortado os pulsos, dizer a verdade agora não faria diferença a longo prazo.

"É por pessoas como a sua mãe", respondeu a dra. Tuttle, balançando a cabeça, "que a medicação psicotrópica fica com má reputação."

Setembro chegou e foi embora. De vez em quando o sol se inclinava por sobre as persianas e eu espiava para ver se as folhas das árvores já estavam caindo. A vida era repetitiva, ressoava um zumbido baixo. Eu me arrastava até o bar dos egípcios. Comprava meus remédios. Reva continuava dando as caras de tempos em tempos, geralmente bêbada e sempre à beira da histeria, da indignação ou do colapso total, de um jeito ou de outro.

Em outubro, ela chegou enquanto eu assistia *Uma secretária de futuro*.

"Isso de novo?", bufou, se jogando na poltrona. "Estou jejuando por causa do Yom Kippur", suspirou com orgulho. Isso não era incomum. Ela já tinha feito umas dietas realmente insanas. Um galão de água salgada por dia. Apenas suco de ameixa e bicarbonato de sódio. "Posso comer toda a gelatina sem açúcar que eu quiser antes das onze da manhã." Ou, "Estou jejuando", era o que dizia. "Estou jejuando nos fins de semana." "Estou jejuando dia sim, dia não durante a semana."

"Melanie Griffith parece bulímica nesse filme", disse Reva, apontando preguiçosamente para a tela. "Viu só essas bochechas inchadas? O rosto dela parece gordo, mas as pernas são supermagras. Mas pode ser que ela seja apenas uma gorda de pernas magras. O braço dela parece meio mole, não? Posso estar enganada. Não sei. Não estou batendo bem. Estou de *jejum*", disse mais uma vez.

"Isso não é efeito de vômito, é birita, Reva", respondi, com um fiapo de baba no canto da boca. "Nem toda pessoa magra tem distúrbio alimentar." Foi a coisa mais substancial que falei para alguém em semanas.

"Desculpa", disse Reva. "Você está certa. Estou só de mau humor. Estou de jejum, sabia?" Ela vasculhou a bolsa e sacou sua garrafinha de tequila. "Quer um pouco?", perguntou.

"Não."

Reva abriu um Mountain Dew diet. Assistimos o filme em silêncio. No meio da história, caí no sono.

Outubro foi plácido. O aquecedor assobiava e crepitava, soltando um cheiro forte de vinagre que me lembrava o porão da casa dos meus pais, então eu regulava o termostato bem baixo. Não me importava com o frio. Minha visita à dra. Tuttle naquele mês foi relativamente normal.

"Como vai tudo em casa?", ela perguntou. "Bem? Mal? Outro?"

"Outro", eu disse.

"Você tem um histórico familiar de paradigmas não binários?"

Quando expliquei pela terceira vez que meus pais haviam morrido, que minha mãe tinha se matado, a dra. Tuttle desenroscou a tampa de um frasco imenso de Afrin, girou a cadeira, inclinou a cabeça para trás, de modo que me via de cabeça pra baixo, e começou a fungar. "Estou escutando", ela disse. "É alergia. E agora estou viciada nesse spray nasal. Por favor, continue. Seus pais estão mortos e…?"

"E nada. Tudo certo. Mas continuo não dormindo direito."

"Que mistério." Girou de volta e pôs o Afrin na gaveta da mesa. "Escuta, vou te dar minhas amostras mais recentes." Ela se levantou para abrir seu pequeno armário e encheu uma sacola de papel pardo com várias cartelas de comprimidos. "Travessuras ou gostosuras", ela disse, tirando uma bala de menta do pote que ficava sobre a mesa e enfiando no saquinho de papel. "Vai se fantasiar para o Halloween?"

"Talvez eu vá de fantasma."

"Econômico", ela comentou.

Fui pra casa e dormi. Fora uma ou outra irritação, eu não tinha pesadelos, paixões, desejos, nenhuma grande dor.

E foi durante essa calmaria no drama do sono que entrei numa realidade desconhecida e menos certa. Os dias se arrastavam, havia pouco a ser lembrado, a não ser o entalhe familiar das almofadas do sofá e uma espuma na pia do banheiro que parecia uma paisagem lunar, suas crateras borbulhando sobre a porcelana quando eu lavava o rosto ou escovava os dentes. Mas era apenas isso que acontecia. E talvez eu tivesse sonhado com a espuma. Nada parecia real de verdade. Dormindo, acordada, tudo colidia numa viagem cinzenta e monótona de avião por entre as nuvens. Eu não conversava mentalmente comigo mesma. Não tinha muito que dizer. Foi assim que soube que o sono estava fazendo efeito: estava ficando cada vez menos apegada à vida. Se continuasse, pensei, desapareceria por completo, depois reapareceria sob alguma outra forma. Essa era a minha esperança. Esse era o sonho.

Três

Em novembro, no entanto, ocorreu uma mudança infeliz.

A tranquilidade despreocupada do sono deu lugar a uma surpreendente rebelião subliminar — comecei a fazer coisas enquanto estava inconsciente. Adormecia no sofá e acordava no chão do banheiro. Móveis eram rearranjados. Comecei a perder coisas. Fazia visitas sonâmbulas ao bar e, quando acordava, encontrava palitos de picolé no travesseiro, manchas cor de laranja e verde-limão nos lençóis, um enorme picles em conserva pela metade, pacotes vazios de batata frita sabor churrasco, caixinhas de achocolatado na mesinha de centro, a parte de cima das embalagens rasgada e com marcas de dente. Ao sair desses apagões, ia buscar meu café de praxe e tentava conversar com os egípcios a fim de ter uma ideia do quão bizarro tinha sido meu comportamento da última vez que havia estado lá. Eles sabiam que eu estava sonâmbula? Eu disse algo comprometedor? Flertei? Em geral eles permaneciam indiferentes e respondiam com a conversa-fiada padrão. Isso quando simplesmente não me ignoravam, então era difícil saber. Essas incursões inconscientes extraterritoriais me preocupavam. Pareciam uma fraude ética ao meu projeto de hibernação. Se cometesse um crime ou fosse atropelada por um ônibus, a chance de uma vida nova e melhor iria por água abaixo. Se minhas andanças adormecidas se limitassem ao bar da esquina, então tudo bem, pensei. Dava pra lidar com isso. O pior que poderia acontecer era eu fazer papel de idiota na frente dos egípcios e ter que começar a frequentar a delicatéssen que ficava alguns quarteirões adiante na Primeira Avenida. Fiz uma prece para que meu subconsciente entendesse o valor da conveniência. Amém.

Foi quando se intensificaram as compras de lingerie e jeans de grife pela internet. Era como se enquanto eu dormisse uma parte mais superficial de mim estivesse mirando uma vida de vaidades e erotismo. Marcava horários de depilação. Fazia reservas num spa que oferecia tratamentos de pele com infravermelho, desintoxicação intestinal e limpeza de pele. Cheguei a cancelar o cartão de crédito na esperança de que isso me impedisse de preencher minha agenda inexistente com as futilidades de alguém que um dia pensei que deveria ser. Uma semana depois recebi um novo cartão de crédito pelo correio. Parti ao meio.

Meus níveis de estresse aumentaram. Não podia confiar em mim mesma. Sentia que teria que dormir com um olho aberto. Pensei até em instalar uma câmera pra me gravar durante meu estado de inconsciência, mas sabia que isso só renderia uma prova material da minha resistência ao meu próprio projeto. Não me impediria de fazer nada, já que eu só veria o vídeo depois que recobrasse a consciência. Entrei em pânico. Dobrei a dose do Frontal numa tentativa de neutralizar a ansiedade. Perdi a noção dos dias e, consequentemente, não fui na dra. Tuttle em novembro. Ela me ligou e deixou uma mensagem.

"Terei que te cobrar pela consulta perdida. Você deve lembrar que assinou um termo concordando com a política de cancelamentos das minhas consultas. Lá estava escrito que, caso precisasse cancelar o atendimento, isso deveria ser feito com vinte e quatro horas de antecedência. A maioria dos médicos da região exige que os cancelamentos sejam feitos trinta e seis ou quarenta e oito horas antes, então, acho que estou sendo bastante generosa. E me preocupa que você esteja tão desleixada com a sua saúde mental. Me ligue para remarcar. A bola está com você." O tom era severo, me senti mal. Mas, quando retornei a ligação para pedir desculpas e marcar outro horário, ela voltou ao normal.

"Te vejo na quinta", ela disse. "Tchauzinho."

Lá pela metade do mês, minhas incursões virtuais aumentaram ainda mais. Acordei com a tela do computador cheia de conversas num bate-papo da AOL com estranhos de lugares como Tampa e Spokane e Park City, em Utah. Nas horas de vigília eu raramente pensava em sexo, mas nesses apagões medicados meu desejo dava as caras. Passei os olhos pelas conversas. Eram surpreendentemente educadas. "Tudo bem?" "Tudo bem, obrigada. E você? Como está? Com tesão?" As coisas começavam daí. Fiquei aliviada por nunca ter dito meu nome verdadeiro a ninguém. Meu apelido no chat era Whoopigirlberg2000. "Me chame de Whoopi." "Me chame de Reva", disse uma vez. As fotos que os homens enviavam de seus órgãos genitais eram banais, semieretos, nada ameaçadores. "Sua vez", diziam eles. Normalmente eu mudava de assunto.

"Qual é seu filme favorito?"

Então chegou o dia em que acordei e vi que tinha pegado minha câmera digital e enviado um monte de fotos bizarras do meu cu, dos mamilos, da minha boca vista por dentro. Mandei mensagens dizendo que gostaria que eles viessem e me amarrassem, que me fizessem refém e chupassem minha boceta feito um prato de espaguete. No celular, uma porção de chamadas de números desconhecidos. Foi aí que criei a regra de guardar o computador no armário, desligar o celular, deixá-lo num Tupperware selado com fita isolante e escondido na parte de trás de um armário de cozinha bem alto toda vez que eu tomava meus remédios, o que acontecia a cada oito horas, mais ou menos.

Acordei com o Tupperware lacrado ao meu lado no travesseiro.

Na noite seguinte o telefone estava no parapeito da janela, ao lado de uma dúzia de cigarros fumados pela metade em uma caixinha de CD da Alanis Morissette.

"Por que você está se matando?", perguntou Reva, vendo as pontas de cigarro no lixo numa visita não solicitada dias depois. O câncer da mãe dela havia começado no pulmão.

"Meu cigarro não tem nada a ver com você ou com a sua mãe. Minha mãe também está morta, sabia?", acrescentei.

Àquela altura, a mãe dela estava sob cuidados paliativos. Ora ficava consciente, ora apagava. Eu estava cansada de ouvir falar desse assunto, me trazia muitas lembranças. Além disso, sabia que ela esperava que eu fosse ao velório, e eu realmente não estava a fim de ir.

"Minha mãe não morreu *ainda*", ela disse.

Não contei a Reva sobre as minhas inclinações virtuais, mas pedi que mudasse minha senha para algo que eu nunca conseguisse adivinhar. "Põe umas letras e números aleatórios. Gasto muito tempo on-line", foi o que eu disse a ela.

"Fazendo o quê?"

"De madrugada acabo mandando e-mails e no dia seguinte me arrependo", era a mentira que eu sabia que ia colar.

"Pro Trevor, né?", perguntou Reva, balançando a cabeça como quem entendeu perfeitamente.

Reva mudou minha senha e, uma vez que minha conta da AOL ficou inacessível, meu sono permaneceu estável por um tempo. O pior que eu fazia quando entrava num estado de inconsciência era escrever cartas para o Trevor num bloco de notas escolar — eram longas petições sobre a nossa história de amor e sobre como eu queria que as coisas mudassem para que ficássemos juntos novamente. As cartas eram tão ridículas que fiquei me perguntando se eu não escrevia aquilo dormindo pra me entreter quando estivesse acordada. Quando o mês chegou ao fim, minhas excursões sonâmbulas ao bar haviam se tornado menos frequentes, talvez por causa do início do inverno.

As visitas de Reva também se tornaram mais espaçadas. E sua atitude passou do melodrama a uma postura mais contida e educada. Em vez de desabafar, apresentava resumos bem articulados sobre sua semana, incluindo os últimos acontecimentos. "Fiquei satisfeita com o seu autocontrole", disse a ela. Ela respondeu que estava tentando ser mais compreensiva com as minhas necessidades. Nas horas em que geralmente daria conselhos ou comentaria sobre o estado da casa, agora mordia a língua. Reclamava menos. Também começou a me dar abraços e a soltar beijos no ar sempre que se despedia. Ela fazia isso se debruçando sobre mim no sofá. Imagino que tenha adquirido esse hábito por causa da mãe acamada. Isso me fez sentir como se também estivesse em meu leito de morte. Na verdade, fiquei grata pelo carinho. No Dia de Ação de Graças, já estava hibernando havia quase seis meses. Ninguém além de Reva tinha me tocado.

Não contei à dra. Tuttle sobre meus apagões. Receava que ela interrompesse o tratamento com medo de um possível processo. Em dezembro, quando fui vê-la, só me queixei que a insônia havia bolado uma vingança furtiva contra mim. Menti que não conseguia ficar na cama por mais de algumas horas seguidas. Que tinha ataques de suor e náuseas que me deixavam tonta e inquieta. Ruídos imaginários me acordavam tão violentamente que "achava que o prédio havia sido bombardeado ou atingido por um raio".

"Você deve ter um calo no córtex", disse a dra. Tuttle, estalando a língua. "Não figurativamente. Não literalmente, quero dizer. Estou dizendo entre *parênteses*", ela ergueu as mãos e colocou-as em formato de concha para demonstrar a pontuação. "Você adquiriu uma tolerância, mas isso não significa que as drogas não estejam funcionando."

"A senhora provavelmente está certa", respondi.

"Pode eliminar o provavelmente."

"Fazendo um outro parêntese, devo precisar de algo mais forte."

"Ahã."

"Um sossega-leão, quero dizer."

"Espero que não esteja sendo sarcástica", disse a dra. Tuttle.

"Claro que não. Considero minha saúde um assunto muito sério."

"Bom, nesse caso..."

"Ouvi falar de um anestésico que eles dão para quem vai fazer endoscopia. Um troço que mantém a pessoa acordada durante o procedimento, mas que depois ela não consegue lembrar de nada. Uma coisa assim seria boa. Tenho muita *ansiedade*. E tenho uma reunião de trabalho importante agora no fim do mês..." Na verdade, só queria algo especialmente forte pra me derrubar durante as festas de fim de ano.

"Experimente isto aqui", a dra. Tuttle deslizou um frasco de comprimidos pela mesa. "Infermiterol. Se não for suficiente pra você, vou reclamar diretamente com o fabricante na Alemanha. Tome um e me conte como foi."

"Obrigada, doutora."

"Planos para o Natal?", ela perguntou, rabiscando minhas receitas. "Vai visitar os velhos? De onde você é mesmo? Albuquerque?"

"Meus pais morreram."

"Sinto muito, mas não estou surpresa", disse a dra. Tuttle, escrevendo em seu arquivo. "Órfãos em geral sofrem de baixa imunidade, psiquiatricamente falando. Você devia pensar em criar um animal de estimação para desenvolver suas habilidades socioemocionais. Ouvi dizer que os papagaios são bons em não julgar as pessoas."

"Vou pensar sobre isso", falei, pegando o maço de receitas que ela havia prescrito e a amostra de Infermiterol.

Fazia muito frio naquela tarde. Enquanto atravessava a Broadway, uma lasca de lua figurou no céu pálido e em seguida desapareceu por entre os edifícios. O ar tinha um tom levemente metálico. O mundo parecia imóvel e misterioso, como se vibrasse. Fiquei grata por não ver muita gente na rua. As pessoas pareciam monstros pesados com silhuetas humanas deformadas por casacos e capuzes inchados, luvas e chapéus, botas de neve. Analisei meu reflexo na vitrine de uma loja escura enquanto caminhava pela rua 15 Oeste. Foi reconfortante saber que eu ainda era bonita, ainda era loira e alta e magra. Ainda tinha uma boa postura. Podiam até me confundir com uma celebridade que aproveitasse o anonimato para andar desleixada. Não que alguém se importasse com isso. Chamei um táxi na Union Square e dei ao motorista as coordenadas das ruas transversais à Rite Aid, que ficava ao norte da cidade. Escurecia mas não tirei os óculos escuros. Não queria encarar ninguém nos olhos. Não queria me relacionar mais intensamente com quem quer que fosse. Além disso, as luzes fluorescentes da farmácia eram de cegar. Se pudesse comprar os remédios numa máquina de refrigerantes, estaria disposta a pagar o dobro do preço.

A farmacêutica de plantão era uma jovem latina — sobrancelhas perfeitas, unhas falsas. Ela me conhecia de vista.

"Me dê dez minutinhos", ela disse.

Ao lado das vitaminas, havia uma engenhoca para medir o pulso e a pressão arterial. Sentei no assento da máquina, tirei o braço da manga do casaco e o enfiei no buraco apropriado. Uma almofada de plumas inflou ao redor do meu bíceps. Vi os números subirem e descerem numa telinha. Pulso, 48. Pressão, 80×50. Parecia o.k.

Fui à estante de VHS espiar as novidades da seção de filmes usados. *O professor aloprado*, *Jumanji*, *Gasparzinho*, *Space Jam*, *O pentelho*. Tudo coisa de criança. Então um adesivo laranja indicando um desconto me chamou a atenção para a prateleira de baixo — *9 ½ semanas de amor*. Peguei. Trevor dizia que era um de seus filmes favoritos. Eu ainda não tinha visto.

"A atuação do Mickey Rourke nesse filme é um troço incomparável. Quem sabe você não se identifica?" Ele disse que eu parecia com a Kim Basinger e que, assim como eu, a personagem dela trabalhava numa galeria de arte. "Esse filme me inspira a tentar coisas novas", ele disse.

"O quê, por exemplo?", perguntei, me divertindo com a ideia de que ele teria coragem de fazer algo mais exótico na cama do que se reposicionar para ter uma "alavancagem melhor".

Ele me levou para a cozinha, virou e disse: "Fique de joelhos." Fiz o que ele mandou e me ajoelhei no azulejo de mármore frio. "Fique de olhos fechados", ele disse. "E abra a boca." Quase ri, mas continuei com o jogo. Trevor levava seus boquetes muito a sério.

"Você viu *Sexo, mentiras e videotape*?", perguntei. "Nesse filme, o James Spader..."

"Fica quieta", ele disse. "Abre a boca."

Ele enfiou uma banana com casca e tudo na minha boca, dizendo que se eu a tirasse ele perceberia e me puniria emocionalmente.

"O.k., *mestre*", murmurei com sarcasmo.

"Deixe a banana aí", ele disse, saindo da cozinha. Não achei muito engraçado, mas segui com a brincadeira. Naquela época eu interpretava o sadismo de Trevor como uma sátira do sadismo de verdade. Seus joguinhos eram tão bobos. Por isso fiquei ali, ajoelhada com aquela banana na boca, respirando pelo nariz enquanto ele reservava uma mesa para dois no Kurumazushi. Depois de vinte minutos ele voltou, tirou a banana da minha boca. "Minha irmã está em Nova York, então você tem que ir embora", ordenou, pondo o pênis flácido na minha boca. Depois de um tempo em que o pênis se recusou a endurecer, ele ficou com raiva. "O que você ainda está fazendo aqui? Não tenho tempo pra isso." Ele me conduziu pra fora. "O porteiro chama um táxi pra você", ele disse, como se eu fosse uma foda de uma noite só, uma prostituta barata, alguém que ele nem conhecesse.

Sexo anal foi algo que só rolou com Trevor uma única vez. A ideia foi minha. Eu disse que queria provar que não era travada — uma coisa que ele reclamou porque em algum momento hesitei em pagar um boquete enquanto ele estava sentado no vaso sanitário. Nós tentamos isso numa noite em que ambos enchemos a cara, mas ele brochou assim que tentou enfiar. Depois levantou de repente e foi para o chuveiro, sem dizer uma palavra. Talvez eu devesse ter me sentido vingada por seu fracasso, mas me senti rejeitada e o segui até o banheiro.

"É porque estou fedida?", perguntei através da cortina do chuveiro. "O que houve de errado? O que foi que eu fiz?"

"Não sei nem do que você está falando."

"Você simplesmente saiu sem dizer nada."

"Tinha *merda* no meu pau, o.k.?", ele disse com raiva, mas era impossível. Ele nem sequer me penetrou. Eu sabia que ele estava mentindo, mas ainda assim me desculpei.

"Desculpa", disse. "Você está bravo?"

"Não quero ter essa conversa agora. Estou cansado e sem saco pra lidar com drama." Ele estava quase gritando. "Só quero dormir um pouco, porra!"

Liguei pra ele no dia seguinte e perguntei se estava livre naquele fim de semana, mas ele disse que já havia encontrado uma mulher que não iria "ficar pregando peças pra chamar atenção". Algumas noites depois, fiquei bêbada e liguei na Rite Aid para encomendar uma caixa de lubrificantes e mandar entregar a ele no escritório na manhã seguinte. Ele me enviou um mensageiro na galeria com uma nota que dizia: "Nunca mais faça isso".

Voltamos algumas semanas depois.

"Senhora?", gritou a farmacêutica, me arrancando do devaneio. Botei o vídeo de volta na estante e fui até o balcão pegar meus remédios.

As unhas da farmacêutica faziam um som irritante quando ela batia na tela do computador. Achei a moça meio arrogante; ela suspirou enquanto passava cada um dos saquinhos de papel grampeados sob o scanner como quem diz que lidar comigo e com todos os meus problemas de saúde mental fosse uma tarefa esgotante demais para ela. "Marque um X aqui para dizer que a senhora está renunciando às advertências."

"Mas eu não renunciei a nada. Você está me atendendo agora mesmo, não está?"

"A senhora tem alguma pergunta sobre seus medicamentos?"

Ela estava me julgando. Sentia que estava. Estava modulando a voz de modo a não parecer condescendente.

"É claro que quero ouvir as advertências", eu disse. "Estou doente e estes aqui são os meus remédios e quero ter certeza de que você fez seu trabalho corretamente. Olhe para todos estes remédios. Eles podem ser perigosos. *Você* não ia querer ouvir as advertências se estivesse tão doente quanto eu?" Coloquei os óculos escuros de volta no rosto. Ela desdobrou os papéis grampeados nos saquinhos e indicou os possíveis efeitos colaterais de cada droga, bem como as possíveis interações com outros medicamentos que eu estava tomando.

"Não beba quando tomar isto", ela disse. "Se tomar este daqui e não for dormir, pode acabar vomitando. Pode dar enxaqueca. Se começar a sentir calor, chame uma ambulância. Você pode ter convulsões ou um derrame. Se aparecerem bolhas nas suas mãos, pare de tomar este aqui e procure um pronto-socorro." Ela não dizia nada que eu já não tivesse ouvido.

A farmacêutica tamborilou as unhas compridas nos saquinhos de papel. "Meu conselho é: não beba muita água antes de dormir. Se levantar no meio da noite para ir ao banheiro, pode acabar se machucando."

"Não vou me machucar", eu disse.

"Só estou falando pra tomar cuidado."

Agradeci, elogiei seu esmalte dourado, introduzi a senha do cartão na maquininha e saí. Era por isso que quando eu tinha que ir à farmácia preferia ir à Rite Aid a ir à CVS ou à Duane Reade. As pessoas que trabalhavam na Rite Aid não levavam meu mau humor para o lado pessoal. Às vezes dava para ouvir os funcionários gargalhando por trás das prateleiras altas e repletas de remédios, tagarelando sobre o fim de semana, fofocando sobre amigos e colegas de trabalho, sobre o mau hálito de fulano, a voz indelicada de sicrano ao telefone. Eu frequentemente era grosseira com eles. Culpava-os por não ter determinado remédio no estoque, praguejava quando a fila de espera tinha mais que dois clientes, reclamava dizendo que demoraram demais pra ligar para o meu plano de saúde, dizia que eram todos idiotas, mal-educados, cruéis, criminosos, insensíveis. Nada parecia afetá-los o bastante para que revidassem com algo mais incisivo do que um sorriso irônico e um revirar de olhos. Nunca me confrontaram sobre os meus modos. "Não me chame de senhora. Isso é ser condescendente", eu disse certa vez. A mulher das unhas douradas claramente não tinha recebido aquele memorando. Eles eram todos tão joviais e descontraídos uns com os outros, fraternos até. Talvez eu tivesse inveja disso. Eles tinham uma vida de verdade — isso era evidente.

Rasguei os sacos de papel na caminhada de volta pra casa, joguei fora todas as bulas e enfiei os frascos nos bolsos do casaco. Os comprimidos chacoalhavam feito maracas enquanto eu me arrastava pela neve. Sob o casaco de esqui, eu tremia violentamente. O vento parecia esbofetear meu rosto. Meus olhos lacrimejavam. Minhas mãos queimavam de frio. Do lado de fora do bar, os egípcios fixavam a decoração de Natal na janela. Entrei, me abaixei para passar pelo enfeite vermelho e esvoaçante, peguei meus dois cafés, fui pra casa, atirei alguns Stilnoxs goela abaixo e dormi no sofá assistindo *As duas faces de um crime*.

Nos dias que se seguiram, meus pensamentos iam em direção a Trevor feito ratos em polvorosa correndo atrás das paredes e me tirando o sono. Precisei acionar todo o autocontrole que tinha pra não ligar pra ele. Também precisei de Gardenal e de um frasco de Notuss num dia, Nembutal e Zyprexa no outro. Reva ia e vinha, tagarelando sobre seus últimos encontros e sobre a tristeza por causa de sua mãe. Vi muito *Indiana Jones*. Mas continuava ansiosa. Trevor Trevor Trevor. Se ele estivesse morto, talvez eu me sentisse melhor, pensei, já que por trás de cada lembrança havia a possibilidade de reconciliação e, consequentemente, de mais desgosto e indignidade. Me sentia fraca. Meus nervos estavam fracos e frágeis feito seda esfarrapada. O sono ainda não tinha ajustado meu mau humor, minha impaciência, minha memória. Parecia que tudo agora estava de alguma forma relacionado à ideia de recuperação do que eu havia perdido. Podia imaginar minha individualidade, meu passado, minha psique como um caminhão basculante cheio de lixo. O sono era o pistão hidráulico que levantava a caçamba do caminhão, pronto pra despejar tudo aquilo em algum lugar, mas Trevor estava parado na abertura traseira, impedindo a passagem do lixo. Eu temia que as coisas ficassem assim para sempre.

Meu último encontro com Trevor foi no réveillon de 2000, quando o convidei para ir a uma festa comigo em Dumbo. Senti que ele estava numa fase entre um namoro e outro.

"Eu fico um pouco", ele aceitou. "Mas já me comprometi com outras festas, então vou ficar na sua festa por uma hora e depois tenho que sair. Já estou prevenindo que é pra você não ficar magoada com isso."

"Tá bom", respondi, embora já estivesse magoada.

Ele quis que eu fosse encontrá-lo no saguão do seu prédio, em Tribeca. Raramente me pedia para ir a seu apartamento. Acho que pensava que se visse a casa dele eu ia querer casar. Na verdade, achei que a decoração daquele apartamento o fazia parecer um tanto quanto patético — arrivista, conformista, superficial. Me lembrava o loft que o Tom Hanks aluga em *Quero ser grande*. Só que em vez de máquinas de pinball, trampolins e brinquedos, Trevor havia enchido o apartamento de móveis caros — um sofá de veludo cinza da Suécia, uma escrivaninha enorme de mogno, um lustre de cristal. Presumi que alguma ex-namorada tivesse escolhido tudo pra ele, ou várias ex-namoradas. Isso explicaria a falta de harmonia entre as coisas. Ele trabalhava como gerente de portfólio nas Torres Gêmeas, tinha sardas, amava Bruce Springsteen e, ainda assim, a parede acima de sua cama era decorada com máscaras africanas horripilantes. Colecionava espadas antigas. Gostava de cocaína, de cerveja barata e uísque caro, e sempre tinha o console de video game mais novo. Dormia num colchão de água. Tocava violão. Mal. Tinha uma arma que guardava num cofre no armário do quarto.

Interfonei para seu apartamento assim que cheguei, e ele desceu vestindo um smoking por baixo de um longo casaco preto de muito bom gosto, com toques de cetim azul-marinho. Logo me dei conta de que convidá-lo para aquela festa tinha sido um erro. Era evidente que ele tinha um lugar mais importante para ir, uma pessoa mais importante para encontrar. E o faria assim que a minha hora cronometrada estivesse encerrada.

Ele vestiu as luvas e acenou para o táxi. "De quem é essa festa mesmo?"

Uma videoartista representada pela Ducat havia me convidado para aquela festa porque eu tinha resolvido um assunto importante de direitos autorais enquanto Natasha estava no exterior. Na verdade, tudo o que eu fiz foi passar um fax.

"Ela vai transmitir ao vivo partos que estão sendo feitos no hospital de uma aldeia da Bolívia. Um cara foi lá e instalou as câmeras", contei. Sabia que isso iria horrorizá-lo.

"A diferença horária entre Bolívia e Nova York é de uma hora pra menos", ele disse. "Se eles realmente acham que podem coordenar os partos, esses bebês só vão nascer às onze, e eu não vou ficar até mais do que dez e meia. De qualquer forma, que nojo."

"Você acha que é exploração?"

"Não, só não quero ver um monte de mulheres bolivianas sangrando e gemendo por horas."

Ele ficou mexendo no celular enquanto eu recitava trechos do release que a galeria havia produzido para descrever o trabalho daquela artista. Trevor repetia algumas palavras sarcasticamente.

"'Tectônico'", ele disse. "'Quasi'. Jesus!"

Então ligou para alguém e teve uma conversa muito breve, com respostas que se limitavam a sim e não. "Te vejo daqui a pouco", era como terminava.

"Você pelo menos gosta de mim?", perguntei assim que ele desligou.

"Que pergunta é essa?"

"Eu *te amo*", estava com raiva o suficiente para dizer.

"De que modo isso pode ser uma informação relevante?"

"Você está brincando?"

Trevor disse ao motorista pra me deixar na estação de metrô mais próxima. Essa foi a última vez que o vi. Não fui à festa. Peguei o metrô e voltei pra casa.

Da janela, observei o céu que escurecia. Tentei esfregar a sujeira do vidro, mas era impossível, estava grudada do lado de fora. As árvores estavam negras e desfolhadas contra a neve pálida. O East River, escuro e parado. O céu, um manto negro e pesado sobre o Queens, com pequenas luzes amarelas piscando, espalhadas pelo infinito. Havia estrelas, mas eu não conseguia enxergá-las. A lua estava mais visível agora, sua chama branca brilhava alto enquanto luzes vermelhas de aviões aterrissando no LaGuardia piscavam aqui e ali. Ao longe, pessoas viviam suas vidas, se divertiam, aprendiam, ganhavam dinheiro, brigavam e andavam por aí, se apaixonando e se desapaixonando. As pessoas nasciam, cresciam, morriam. Trevor provavelmente passava as férias de fim de ano com uma mulher no Havaí ou em Bali ou em Tulum. Naquele momento mesmo ele devia estar acariciando a pele dela e dizendo que a ama. Talvez fosse feliz de fato. Fechei a janela e cerrei as persianas.

"Feliz Natal", disse Reva numa mensagem de voz. "Estou aqui no hospital, mas volto amanhã para a festa da firma. Ken vai estar lá, é óbvio..."

Apaguei a mensagem e voltei a dormir.

No Natal, por volta do anoitecer, acordei no sofá em meio a uma névoa de inquietação. Incapaz de dormir ou usar minhas mãos para operar o controle remoto ou abrir o frasco de Dormonid, saí de casa em busca da minha dose de cafeína. Lá embaixo, o porteiro estava sentado em seu banquinho, lendo o jornal.

"Feliz Natal", ele bocejou, virando a página enquanto mal olhava pra mim.

As calçadas estavam cobertas de branco. Haviam cavado uma passagem na neve espessa entre a portaria do prédio e o bar. Meu sapato era de camurça, com o interior forrado de pelo de carneiro, e o sal no chão deixava crostas brancas nele. Mantive a cabeça abaixada, longe do ar cortante e da alegria da festa. Não queria me lembrar dos Natais passados. Não queria nenhuma associação, nenhum cordão de corações de papel presos entre uma árvore e uma janela, nenhuma lembrança. Como tinha esfriado, eu agora vivia de pijama de flanela e jaqueta de esqui larga e caída sobre os ombros. Às vezes chegava a dormir com a jaqueta, já que deixava baixa a temperatura do apartamento.

Naquela noite, o egípcio de plantão me deu café de graça porque o caixa eletrônico tinha ficado sem dinheiro. Pilhas de jornais velhos e encalhados se amontoavam contra uma janela quebrada ao lado da geladeira que guardava leite e refrigerante. Li as manchetes lentamente, meu olhar fixo embaçando e trocando as sentenças enquanto passava os olhos por elas. O novo presidente seria duro contra os terroristas. Uma adolescente do Harlem jogou seu recém-nascido num bueiro. Uma mina cedeu em algum lugar da América do Sul. Um vereador local foi pego transando com um imigrante ilegal. Alguém que sempre tinha sido gordo agora estava magérrimo. Mariah Carey presenteou órfãos no Natal na República Dominicana. Um sobrevivente do *Titanic* morreu num acidente de carro. Eu tinha uma vaga noção de que Reva viria naquela noite. Ela provavelmente queria fingir que pretendia me animar.

"Depois te pago esse maço de cigarro", disse ao egípcio. "Também vou levar um sorvete desses Klondike e aquele M&M's", expliquei, apontando para o de amendoim, que era o que eu queria. Ele assentiu com um movimento de cabeça. Olhei para baixo através da tampa de vidro deslizante do freezer onde ficavam todos os sorvetes e picolés. Lá no fundo repousavam itens congelados havia anos, incrustados na penugem branca do gelo. Um mundo glacial. Olhei para as montanhas de cristais de gelo e por um minuto me imaginei lá embaixo, escalando o gelo, cercada pela brancura do ar esfumaçado, uma paisagem ártica. Tinha uma fileira de

Häagen-Dazs velhos, anteriores à nova embalagem. Também havia caixas de Klondikes. Talvez esse seja o lugar para onde eu deveria ir, pensei… Klondike. Yukon. Eu podia mudar para o Canadá. Me inclinei sobre o congelador, raspei uma parte do gelo e de algum modo consegui arrancar um Klondike lá de dentro para Reva. Se ela me desse um presente de Natal e eu estivesse de mãos abanando, isso daria força para seu julgamento e sua "preocupação" por semanas a fio. Também podia dar algumas daquelas lingeries fúcsia da Victoria's Secret que eu nunca tinha usado. E um par de jeans. Os mais folgadinhos devem caber nela, pensei. Eu me sentia generosa. O egípcio deslizou o cigarro e o M&M's pelo balcão com um pedaço de papel que tinha rasgado de um saco de papel pardo.

"Você ainda me deve seis e cinquenta da semana passada", ele disse, anotando o valor atualizado da dívida ao lado do meu nome — fiquei atônita ao descobrir que ele sabia meu nome. Acho que tinha vindo fazer um lanche durante um apagão. O egípcio prendeu o pedaço de papel na parede, ao lado dos rolos de raspadinha. Guardei o cigarro, o Klondike e o M&M's no bolso do casaco, peguei meus cafés e voltei pra casa.

Acho que uma parte de mim queria que, quando eu girasse a chave na porta de casa, num passe de mágica a maçaneta se abrisse para um apartamento diferente, uma vida diferente, um lugar tão resplandecente de emoção e alegria que eu ficaria cega por uns instantes quando o visse pela primeira vez. Pensei no que a equipe de filmagem de um documentário apreenderia do meu rosto quando eu vislumbrasse todo aquele novo mundo à minha frente, como naqueles programas de TV que Reva gosta de assistir quando vem aqui, nos quais alguém vai lá e reforma toda a casa da pessoa. Eu primeiro franziria o cenho, surpresa. Mas, então, quando meus olhos se ajustassem à luz, eles se arregalariam e brilhariam admirados. Largaria as chaves e o café e me arriscaria pelo novo apartamento adentro de boca aberta, chocada com a transformação da minha casa cinza e sombria naquele paraíso de sonhos concretizados. Mas como esse paraíso seria exatamente? Eu não fazia ideia. Quando tentei imaginar esse novo lugar, tudo o que consegui projetar foi um mural cafona de arco-íris, um homem com uma fantasia de coelho, uma dentadura num copo, uma enorme fatia de melancia num prato amarelo — talvez fosse uma previsão bizarra do meu futuro aos noventa e cinco anos, perdendo a sanidade num asilo que trata os idosos feito crianças retardadas. Devo ser muito sortuda, pensei. Abri a porta de casa e, claro, nada havia mudado.

Joguei o primeiro copo de café vazio numa pilha de lixo em volta da lixeira da cozinha, abri o segundo copo, mandei para dentro uns Donarens, fumei um cigarro na janela e sentei no sofá. Rasguei a embalagem de M&M's, comi junto com dois Zyprexas e assisti *Uma segunda chance* cochilando, a caixa de Klondike derretendo no bolso.

Reva apareceu no meio do filme com um pote enorme de pipoca caramelada. Atendi a porta de quatro.

"Posso deixar isso aqui?", ela perguntou. "Se ficar em casa vou acabar comendo tudo."

"Ahã", grunhi. Reva me ajudou a levantar do chão. Fiquei aliviada por ela não ter me trazido nenhum presente elaborado, com embrulho e tudo. Embora fosse judia, Reva celebrava todos os feriados cristãos. Fui ao banheiro, tirei o casaco, virei o bolso do avesso e joguei tudo na banheira, deixando a água enxaguar o sorvete derretido. Quando o chocolate desceu em direção ao ralo, parecia sangue.

"O que está fazendo aqui?", perguntei a Reva quando voltei para a sala de estar.

Ela ignorou a pergunta. "Está nevando de novo", ela disse. "Peguei um táxi." Sentou no sofá. Requentei no micro-ondas meu segundo copo de café deixado pela metade. Fui até o videocassete e movi a pequena estátua de elefante que usava para cobrir o brilho do relógio digital. Esfreguei os olhos. Eram dez e meia. O Natal estava quase no fim, graças a Deus. Quando olhei para Reva, vi que por baixo da longa capa de lã preta ela usava um vestido vermelho brilhante e meia preta com ramos de azevinho bordados. Seu rímel estava borrado, o rosto caído, inchado e lambuzado de uma argamassa de base e bronzeador. O cabelo para trás num coque brilhante de gel. Ela havia chutado as sandálias de salto pra fora dos pés e agora batia as juntas dos dedos do pé no chão. Seus saltos repousavam sob a mesinha de centro virados de lado feito dois corvos mortos. Ela não me lançava olhares invejosos ou desdenhosos, não perguntava se eu tinha comido alguma coisa naquele dia, não ficava arrumando as coisas ou colocando de volta em suas respectivas caixas as fitas de VHS largadas sobre a mesinha de centro. Estava quieta. Me encostei na parede e fiquei observando enquanto ela tirava da bolsa o celular e desligava, depois pegava o pote de pipoca, comia um pouco e botava de volta no lugar. Tinha acontecido alguma coisa, era evidente. Talvez Reva tivesse ido à festa de Natal da firma e tivesse visto Ken embriagado e acompanhado da mulher, que ela havia me dito que era pequena e japonesa e cruel. Talvez ele tivesse finalmente colocado um ponto-final naquele caso. Não perguntei. Terminei meu café, peguei o pote de pipoca, fui até a cozinha e esvaziei tudo no lixo, que aparentemente Reva havia posto para fora enquanto eu lavava o casaco.

"Obrigada", ela disse, quando me sentei ao seu lado no sofá. Grunhi e liguei a TV. Nós dividimos o resto do M&M's e assistimos um programa sobre o Triângulo das Bermudas e engoli um pouco de melatonina e Fenergan e babei um tanto. Em algum momento, ouvi meu telefone tocar de onde quer que eu o tenha escondido da última vez.

"É um vórtice para uma nova dimensão? Ou um mito? Ou existe uma conspiração para encobrir a verdade? E para onde as pessoas vão quando desaparecem? Talvez nunca saibamos."

Reva foi até o termostato, ligou o aquecedor e voltou para o sofá. O episódio do Triângulo das Bermudas terminou e começou um outro, dessa vez sobre o Monstro do Lago Ness. Fechei os olhos.

"Minha mãe morreu", Reva disse durante um intervalo comercial.

"Merda", respondi.

O que mais poderia ter dito?

Puxei o cobertor, de modo a cobrir nosso colo.

"Obrigada", disse Reva mais uma vez, dessa vez chorando baixinho.

A voz macabra do narrador do programa somada aos suspiros e às fungadas de Reva deveria ter embalado meu sono. Mas não consegui dormir. Fechei os olhos. Quando começou o episódio seguinte, sobre agroglifos, aqueles círculos nas plantações, Reva me cutucou. "Você está acordada?" Fingi que não estava. Ouvi quando ela se levantou e calçou os sapatos, foi ao banheiro e assoou o nariz. Ela saiu sem se despedir. Fiquei aliviada por estar sozinha novamente.

Levantei, fui ao banheiro e abri o armário de remédios. Os comprimidos de Infermiterol que a dra. Tuttle havia me dado eram pequenos e em formato de bolinhas de chumbo, cada um deles gravado com a letra I. Eram muito brancos, muito duros e estranhamente pesados. Quase pareciam ter sido feitos de pedra polida. Pensei que se havia uma boa hora para dormir pesado, essa hora seria agora. Não queria ter de passar o Natal com o odor impregnado da tristeza de Reva. Tomei apenas um Infermiterol, conforme indicado. As bordas afiadas e chanfradas do comprimido rasparam minha garganta enquanto desciam.

Acordei embebida em suor e encontrei uma dúzia de caixinhas de comida chinesa fechadas na mesa de centro. O ar fedia a carne de porco e alho e óleo vegetal velho. No sofá, ao meu lado, uma pilha de hashis fora da embalagem. Sem som, a televisão exibia um comercial de desidratador de alimentos.

Procurei o controle remoto, não encontrei. O termostato estava calibrado em trinta e dois graus. Levantei, reajustei para uma temperatura mais baixa e notei que o enorme tapete oriental — uma das poucas coisas que guardara da antiga casa dos meus pais — havia sido enrolado e deixado junto à parede, embaixo da janela da sala de estar. As persianas estavam levantadas. Isso me assustou. Ouvi o telefone tocar e segui o som até o quarto. O aparelho estava numa tigela de vidro selada com filme de PVC, no meio de uma cama sem nenhum lençol.

"Hum", respondi. Minha boca tinha um gosto de inferno.

Era a dra. Tuttle. Limpei a garganta e tentei soar como uma pessoa normal.

"Bom dia, dra. Tuttle", eu disse.

"São quatro da tarde", ela disse. "Sinto muito, demorei para retornar sua ligação. Tive uma emergência com os meus gatos. Está se sentindo melhor? Os sintomas que você descreveu na sua mensagem… Francamente, me perturbaram."

Notei que eu estava usando um conjunto de moletom cor-de-rosa da Juicy Couture. Uma etiqueta do brechó beneficente da Associação da Mulher Judia pendia do punho. Havia novas fitas VHS usadas empilhadas no chão do corredor, todos filmes de Sydney Pollack: *Três dias do condor*, *Ausência de malícia*, *Nosso amor de ontem*, *Tootsie*, *Entre dois amores*. Não lembrava de ter pedido comida chinesa nem de ter ido ao brechó. E não fazia ideia do que eu teria dito nessa ou em qualquer outra mensagem. A dra. Tuttle disse que tinha ficado "perplexa com a intensidade emocional" da minha voz.

"Estou preocupada com você. Muito, muito, muito preocupada." Ela soava como sempre soava, sua voz era um assovio rouco e agudo. "Quando você diz que está questionando sua própria existência", ela perguntou, "quer dizer que anda lendo livros de filosofia? Ou foi algo que inventou sozinha? Porque, se for suicídio, posso te dar algo pra isso."

"Não, não, nada de suicídio. Só estava filosofando, sim", eu disse. "Só pensando demais, acho."

"Isso não é um bom sinal. Pode levar à psicose. Como tem dormido?"

"Não o suficiente", disse.

"Era o que eu suspeitava. Tente tomar um banho quente e fazer um chá. Isso deve te acalmar. E experimente o Infermiterol. Estudos demonstraram que ele é mais eficiente do que Prozac na eliminação da ansiedade existencial."

Eu não queria admitir que já havia experimentado, e que o resultado tinha sido uma estranha confusão de comidas e compras em lojas de segunda mão, para dizer o mínimo.

"Obrigada, doutora", respondi.

Desliguei o telefone e ouvi uma mensagem da Reva informando os detalhes do velório e da cremação de sua mãe em Long Island, naquela mesma semana. Suas palavras pareciam suaves, tristes e um pouco ensaiadas.

"As coisas estão seguindo em frente. Acho que o tempo é assim... apenas continua. Espero que você possa ir ao velório. Minha mãe gostava de verdade de você." Vi a mãe dela uma vez, quando ela visitou Reva no último ano da faculdade, mas tinha esquecido completamente. "A gente marcou para a véspera do Ano-Novo. Se puder chegar antes lá em casa, seria bom", ela disse. "O trem sai da Penn Station de hora em hora." Ela me deu instruções precisas de como comprar a passagem, onde ficar na plataforma, em que carro entrar, onde descer. "Você finalmente vai conhecer meu pai."

Quase apaguei a mensagem, mas depois pensei que seria melhor guardá-la e deixar que a caixa lotasse para que ninguém mais deixasse mensagens de voz.

Meu casaco continuava encharcado na banheira, então vesti uma jaqueta jeans, pus um gorro de tricô, enfiei os pés num chinelo, botei o cartão de débito no bolso e fui até os egípcios pegar uns cafés, tremendo violentamente ao longo do caminho salgado que se formava na neve suja. Os enfeites de Natal do bar já haviam sido retirados. A data nos jornais era 28 de dezembro de 2000.

"Agora você me deve essa quantia aqui", disse um dos egípcios mais baixos, apontando para um pedaço de papel colado no balcão. Ele parecia um cachorrinho de colo desses bonitinhos, miudinhos e bravinhos. "Quarenta e seis e cinquenta. Ontem à noite, você comprou sete sorvetes."

"Comprei?" Ele bem que podia estar tirando uma da minha cara. Não tinha como saber.

"Sete sorvetes", ele repetiu, balançando a cabeça e se esticando para alcançar um pacote de mentol para o cliente atrás de mim. Eu não ia discutir. Os egípcios não eram como o pessoal da Rite Aid. Saquei dinheiro no caixa eletrônico e paguei o que devia.

Chegando em casa, encontrei sete potes velhos de Häagen-Dazs no balcão da cozinha. Deve ter sido um sufoco e tanto removê-los das profundezas do congelador do bar: café com pedaços de caramelo, baunilha, framboesa, passas ao rum, morango, noz-pecã caramelizada, melancia. Tudo derretido. Me perguntei se estava esperando convidados. A comida chinesa espalhada na mesinha de centro indicava uma celebração, talvez, mas parecia que eu tinha adormecido ou ficado frustrada com os hashis e deixado tudo ali, para empestear o apartamento enquanto sonhava. A casa ainda cheirava fortemente a fritura. Abri alguns centímetros da janela da sala e sentei no sofá para começar meu segundo café. Uma por uma, levantei cada caixinha gordurosa de comida chinesa, tentando adivinhar o que era e depois abrindo para ver se tinha acertado. O que pensei que fosse arroz com porco frito na verdade era um lámen gorduroso com pedaços de cenoura e cebola pontilhado de minúsculos camarões que me lembraram chatos. Meu palpite de brócolis alho e óleo também estava errado. A caixinha estava cheia de frango ao curry. Meu palpite de arroz branco era um rolinho de ovo amassado e recheado de repolho também conhecido como superpeidos. O arroz branco era uma mistura de vegetais. O arroz branco eram costelas. Quando finalmente encontrei o arroz, ele era marrom. Provei com os dedos. Empapado, com gosto de castanhas e frio. Enquanto mastigava, ouvi o celular tocando. Sabia que era Reva para se certificar de que eu havia entendido sua mensagem sobre o velório, querendo que eu prometesse que estaria lá com ela, que chegaria na hora certa, tentando se assegurar de que eu sentia muito pela morte da mãe dela, que me importava, que sentia sua dor, que faria qualquer coisa para aliviar seu sofrimento, com a ajuda de Deus.

Não atendi. Cuspi o arroz e joguei no lixo todas as caixinhas de comida chinesa. Depois abri cada pote de sorvete derretido e despejei tudo pelo ralo. Pensei que Reva teria um sobressalto se visse toda aquela comida jogada fora. Como se comer e depois vomitar tudo não fosse um desperdício.

Levei o lixo para o corredor e o atirei na boca coletora. Ter uma boca coletora de lixo era uma das coisas que eu mais gostava naquele prédio. Eu me sentia importante, como se estivesse participando do mundo. Meu lixo misturado com o lixo dos outros. As coisas que toquei tocadas por outras pessoas. Eu estava colaborando. Estava me conectando.

Engoli um Frontal e um Infermiterol, tirei o casaco encharcado da banheira e tomei um banho quente. Depois fui pro quarto procurar um pijama limpo para vestir e imediatamente adormecer ao som de *Salve-me quem puder*. Os móveis do meu quarto haviam mudado de posição. A cama tinha sido virada de modo que a cabeceira agora estava de frente para a parede. Me imaginei no meio de um apagão de drogas analisando meu ambiente doméstico e usando minha mente — qual parte dela não sei ao certo — para tomar decisões estratégicas sobre como melhorar a configuração espacial. A dra. Tuttle havia previsto esse tipo de comportamento. "Não tem problema fazer uma coisa ou outra durante o sono, desde que você não opere máquinas pesadas. Você não tem filhos, tem? Pergunta idiota." Passeios sonâmbulos, conversas sonâmbulas, sonambulismo em chats da internet, sonambulismo gastronômico — tudo isso estava dentro do esperado, sobretudo sob o efeito do Stilnox. Eu já tinha feito um bocado de compras sonâmbulas tanto no bar quanto pelo computador. Tinha pedido comida chinesa enquanto dormia. Tinha fumado enquanto dormia. Tinha mandado mensagens de texto e ligado para as pessoas completamente sonâmbula. Nada disso era novo pra mim.

Mas com o Infermiterol foi diferente. Lembro de ter tirado uma calça legging e uma camisa térmica da gaveta da cômoda. Lembro de ter ouvido o barulho da água enchendo a banheira enquanto eu escovava os dentes. Lembro de ter cuspido uma espuma de sangue na pia suja. Lembro de até ter testado a temperatura da água do banho com os dedos do pé. Mas não lembro de ter entrado na água, ter tomado banho, lavado o cabelo. Não lembro de ter saído de casa, andado por aí, entrado num táxi, ido a lugares ou feito o que quer que eu possa ter feito naquela noite, no dia seguinte ou dois dias depois.

Foi como se eu tivesse piscado e de repente acordasse num trem para Long Island vestindo jeans e meu tênis velho de corrida e um longo casaco de pele branco, a música tema de *Tootsie* passando pela minha cabeça.

Quatro

A dra. Tuttle havia me alertado sobre "pesadelos estendidos", "viagens mentais verificáveis", "paralisia da imaginação", "anomalias na noção de tempo e espaço", "sonhos que parecem incursões pelo multiverso", "viagens a outras dimensões" et cetera.

E disse que uma pequena parcela das pessoas que tomavam esse tipo de medicamento que ela prescrevia para mim relatava alucinações durante as horas de vigília. "Em geral são visões agradáveis, espíritos etéreos, padrões de luz celestial, anjos, fantasmas amistosos. Duendes. Ninfas. Brilho. Alucinações completamente inofensivas. E acontecem mais com asiáticos. Qual a sua ascendência, se a pergunta não for muito invasiva?"

"Inglaterra, França, Suécia, Alemanha."

"Vai dar tudo certo."

O trem para Long Island não era exatamente celestial, mas me perguntei se não seria um sonho lúcido. Olhei para minhas mãos. Era difícil movimentá-las. Cheiravam a cigarro e perfume. Esquentei-as com meu hálito, acariciei o pelo branco e frio do casaco, cerrei os punhos e soquei as mãos entre as coxas. Cantarolei. Tudo parecia bastante real.

Fiz um balanço da minha situação. Eu não estava sangrando. Não tinha feito xixi na calça. Não usava meia. Sentia os dentes pegajosos, minha boca tinha gosto de cigarro e amendoim, embora eu não tivesse encontrado nenhum cigarro no bolso do casaco. O cartão de débito e as chaves de casa estavam no bolso de trás da calça. A meus pés, uma sacola marrom da Bloomingdale's com um tailleur tamanho trinta e seis Theory e um conjunto de calcinha e sutiã nude Calvin Klein. Uma caixinha de joias de veludo com uma corrente de ouro falso e um pingente de topázio. No banco ao lado, um enorme buquê de rosas brancas. Embaixo dele, um envelope quadrado com algo escrito com a minha letra: "Para Reva". Junto às flores, uma revista *People*, uma garrafa de água meio vazia e dois invólucros de Snickers. Tomei um gole da garrafa e descobri que estava cheia de gim.

Atrás da janela, o sol latejava pálido e amarelo no horizonte. Estaria nascendo ou se pondo? Qual a direção do trem? Encarei minhas mãos mais uma vez, analisando a linha de sujeira acinzentada que se formava sob as unhas roídas. Quando um homem de uniforme passou, eu o parei. Estava com muita vergonha para perguntar o que realmente importava: "Que dia é hoje? Para onde estou indo? Está de dia ou de noite?" — então perguntei qual seria a próxima parada.

"Estamos chegando a Bethpage. A sua parada é a próxima." Ele pegou meu bilhete, que estava preso nas costas do assento à minha frente. "Você ainda pode dormir por mais alguns minutos", ele piscou.

Não conseguia dormir. Olhei pela janela. O sol estava nascendo, sem dúvida. O trem fez um barulho e em seguida reduziu a velocidade. Do outro lado da plataforma, em Bethpage, uma pequena multidão de pessoas de meia-idade vestindo longos casacos e segurando copos de café aguardava o trem que vinha na direção oposta. Avaliei que eu bem que poderia desembarcar e pegar o trem de volta a Manhattan. Assim que o vagão parou, fiquei de pé. O casaco de pele escorregou. Era pesado e ficava amarrado com um cinto de couro branco em volta da minha cintura. Meu pé sem meia estava úmido dentro do tênis. Estava sem sutiã. Meus mamilos roçavam a penugem macia da parte interna do moletom, que parecia novo e barato, do tipo que custa cinco dólares na Walgreens ou na Rite Aid. Um sino soou. Tive que me apressar. Enquanto juntava minhas coisas, porém, me deu uma vontade repentina e irresistível de cagar. Deixei a sacola e as rosas no assento e corri em direção ao banheiro. Precisei tirar o casaco e virá-lo do avesso antes de pendurá-lo, de modo que apenas o forro de seda rosa ficasse em contato com a parede encardida do banheiro. Não sei o que eu tinha comido, mas certamente não tinham sido meus costumeiros biscoitos de bichinho nem a salada do restaurante. Ali sentada, senti o trem retomar seu movimento. Arregacei a manga larga do moletom a fim de inspecionar meus braços em busca de um carimbo, um machucado, um Band-Aid. Não havia nada.

Vasculhei os bolsos do casaco novamente em busca do celular, só encontrei uma nota fiscal de um chá de bolhas comprado em Koreatown e um elástico, que usei para amarrar o cabelo. Pelo que pude perceber no espelho surrado e arranhado, eu não estava tão mal. Dei tapinhas no rosto e tirei o sono dos olhos. Ainda estava bonita. Percebi que meu cabelo estava mais curto. Devo ter cortado durante o apagão. Pensei que podia conferir meu extrato bancário para ver o que andei fazendo sob o efeito do Infermiterol, mas na verdade eu não me importava, contanto que continuasse intacta, que não estivesse sangrando. Que não estivesse com nada quebrado ou machucado. Sabia onde estava. Tinha meu cartão do banco e a chave de casa. Isso bastava. Não estava com vergonha. Um único comprimido de Infermiterol tinha levado dias da minha vida embora. Nesse sentido, era a droga perfeita.

Joguei água no rosto, gargarejei, esfreguei os dentes com uma toalha de papel. Quando voltei pro meu assento, tomei um gole de gim, bochechei e cuspi de volta na garrafa. O trem reduziu a velocidade mais uma vez. Peguei minhas coisas, embalando o buquê desajeitado nos braços feito um bebê. As rosas eram imaculadas e sem cheiro. Toquei-as para ver se eram de verdade. Eram.

Farmingdale era feia, insípida e cinza, cravada de postes de telefonia. Ao longe, avistei extensas fileiras de prédios de dois andares cobertos de tapumes de alumínio, árvores nuas tremendo ao vento, talvez um silo, e vinda de alguma fonte invisível, uma fumaça escura alçada ao céu pálido e cinzento. Pessoas embrulhadas em casacos, cachecóis e chapéus atravessavam uma pequena praça coberta de gelo em direção a minivans e sedãs baratos cujos motores enchiam de uma pequena névoa o pequeno estacionamento. Um enorme Lincoln Continental branco parou ao lado do meio-fio e acendeu os faróis.

Era Reva. Ela abaixou a janela elétrica do lado do passageiro e acenou pra mim. Pensei ignorá-la e voltar pelos trilhos para pegar o próximo trem de volta. Ela buzinou. Desci da calçada e entrei no carro. O interior era todo de couro vinho e madeira falsa. Cheirava a charuto e purificador de ar sabor cereja. O colo de Reva estava cheio de lenços amarrotados.

"Casaco novo? É de verdade?", ela perguntou, fungando.

"Um presente de Natal", murmurei. Enfiei a sacola de compras entre os pés e larguei o buquê no colo. "Para mim mesma."

"Este é o carro do meu tio", disse Reva. "Não acredito que você conseguiu vir. Mal acreditei em você ontem à noite no telefone."

"Não acreditou no *que* no telefone?"

"Só estou feliz que tenha conseguido vir." O rádio tocava uma música clássica.

"O velório é hoje", disse, afirmando algo que eu mesma não queria acreditar. Eu realmente não queria ter ido, mas agora estava presa àquela situação. Abaixei o volume.

"Achei que você se atrasaria ou acabaria dormindo o dia todo ou algo do tipo. Não se ofenda. Mas olha só, você veio!" Ela deu um tapinha no meu joelho. "Que flores bonitas. Minha mãe teria adorado."

Reclinei o assento. "Não me sinto muito bem, Reva."

"Você *parece* bem", ela disse, olhando o casaco de novo.

"Trouxe uma roupa pra me trocar", disse, chutando a sacola de compras. "Uma roupa preta."

"Você pode pegar emprestado o que quiser", disse Reva. "Maquiagem, o que quiser." Se virou e deu um sorriso falso, acariciando minha mão.

Ela estava com uma cara péssima. Bochechas inchadas, olhos vermelhos, pálida. Ficava assim quando vomitava o tempo todo. No último ano da faculdade, chegou a estourar os vasos dos olhos e andou semanas pelo campus de óculos escuros. Só tirava dentro do dormitório. Era difícil olhar pra ela.

Ela começou a dirigir.

"A neve não é linda? É calmo aqui, né? Longe da cidade. Isso realmente ajuda a colocar as coisas em perspectiva. A *vida*... Sabe?" Reva me encarou à espera de uma reação, mas não ofereci nenhuma. Ela seria bem irritante hoje, dava para sacar. Esperava que eu dissesse coisas reconfortantes, que a tomasse pelos ombros enquanto ela soluçava no velório. Eu tinha caído numa armadilha. O dia seria um inferno. Eu ia sofrer. Senti que talvez não sobrevivesse. Precisava de um quarto escuro e silencioso, dos meus vídeos, da minha cama, dos meus remédios. Não me afastava de casa tão longe assim havia meses. Estava aterrorizada.

"A gente pode parar pra tomar um café?"

"Tem café em casa", disse Reva.

Eu a odiei de verdade naquele momento, enquanto a observava dirigir pelas ruas geladas, esticando o pescoço para enxergar por cima do painel do assento rebaixado do carro. Então começou uma ladainha sobre tudo o que tinha feito — limpado a casa, chamado parentes e amigos, acertado tudo com a funerária.

"Meu pai decidiu cremar", ela disse "Ele não podia nem esperar o velório. É uma coisa que me parece tão cruel. E nem é *judaica*. Ele só estava tentando economizar dinheiro." Suas bochechas caíram quando ela franziu a testa. Os olhos se encheram de lágrimas. Sempre me impressionou como Reva era previsível — era praticamente um personagem de filme. Cada gesto já vinha engatilhado na hora certa. "Agora minha mãe está numa caixinha de madeira barata", choramingou. "É deste tamaninho." Tirou as mãos do volante para me mostrar as dimensões, fazendo uma pose. "Queriam que comprássemos uma urna de latão enorme. Eles tentam tirar vantagem da gente o tempo todo, te juro. É tão repugnante. Mas meu pai é tão *mão de vaca*. Disse a ele que vou jogar as cinzas no oceano e ele disse que era indigno. O quê? Como assim o oceano é indigno? O que seria mais digno do que o oceano? O aparador em cima da lareira? Um armário na cozinha?" Ela engasgou um pouco com a própria indignação, depois se virou para mim, suavemente. "Pensei que talvez você pudesse vir comigo. A gente podia ir até Massapequa, fazer isso e depois almoçar uma hora dessas. No próximo fim de semana, se você tiver tempo. Ou qualquer dia, na verdade. Talvez quando estiver mais quente. Ou pelo menos quando não estiver nevando. O que você fez com a *sua* mãe?", ela perguntou.

"Enterrei ao lado do meu pai", respondi.

"Viu, a gente devia ter enterrado. Você pelo menos ainda tem seus pais em algum lugar. Tipo, eles não foram queimados até virar cinzas. Pelo menos estão na terra, seus ossos ainda estão lá, quero dizer, num só lugar. Você ainda tem isso."

"Pare o carro", eu disse. Tinha visto um McDonald's. "Vamos passar pelo drive-thru. Vou comprar o café da manhã."

"Estou de regime", disse Reva.

"Então me deixe comprar o *meu* café da manhã", respondi.

Ela entrou no estacionamento, se posicionou na fila.

"Você visita eles? O túmulo dos seus pais?", ela perguntou. Reva confundiu meu suspiro de frustração com a escavação de uma tristeza soterrada. Ela se virou para mim com um gemido alto, "Hummm!", franzindo o cenho em solidariedade, e se inclinou sobre a buzina por acidente. A buzina gritou feito um coiote ferido. Ela ofegou. A pessoa no carro à nossa frente lhe mostrou o dedo. "Ah, Deus. Desculpa!", gritou, buzinando novamente para se desculpar. Ela olhou para mim. "Tem comida em casa. Tem café, tem tudo."

"Eu só quero um café do McDonald's. É tudo que peço. Vim até aqui."

Reva estacionou o carro. Esperamos.

"Não consigo nem te dizer quanto foi perturbador ir ao crematório. É o último lugar que você deseja ir de luto. Eles te dão todas essas informações e papéis sobre como funciona a cremação dos corpos, como se eu realmente precisasse saber disso. Num dos panfletos eles descreviam como bebês mortos eram cremados nessas pequenas fôrmas de metal individuais. É assim que eles chamam, 'fôrmas de metal'. Não consigo parar de pensar nisso. 'Fôrmas.' É tão horrível. Como se estivessem assando pizza. Não é horrível? Não te embrulha o estômago?"

O carro à frente acelerou. Fiz sinal para Reva se dirigir ao interfone.

"Dois cafés grandes, açúcar extra, leite extra", disse, apontando para Reva para que ela repetisse o pedido. Ela repetiu e acrescentou um McFlurry Oreo para ela.

"Você pode dormir aqui se quiser", disse Reva, dirigindo-se para a primeira janela. "É véspera de Ano-Novo, sabe."

"Tenho compromisso em Nova York."

Reva sabia que eu estava mentindo. Olhei pra ela, desafiando-a a me desafiar, mas ela apenas sorriu e passou meu cartão de débito para a atendente na janela.

"Eu gostaria de ter compromissos em Nova York", ela disse.

Paramos na próxima janela e Reva me entregou os cafés. As tampas cheiravam a perfume barato e hambúrguer queimado.

"Posso pedir um táxi de volta para a estação depois da cerimônia", ela continuou, a voz soando alta e falsa à medida que levava à boca uma colherada de McFlurry. "Ken está vindo, acho", ela disse. "E umas outras pessoas do trabalho. Você quer ficar pelo menos para o jantar?" Falar com a boca cheia era outra coisa que eu não suportava em Reva.

"Primeiro preciso de uma soneca", respondi. "Depois vejo como me sinto."

Reva ficou quieta por um tempo, sopros brancos e frios de ar emergiam de sua língua conforme lambia a longa colher de plástico. O ar do carro estava quente demais. Eu suava por baixo do casaco de pele. Ela enfiou o copo de McFlurry entre os joelhos e continuou dirigindo e comendo.

"Você pode tirar uma soneca no meu quarto", disse. "Deve estar tranquilo por lá. Meus parentes estão aqui, mas não vão te achar mal-educada nem nada assim. A gente só precisa chegar à funerária às duas."

Passamos por uma escola, uma biblioteca, um shopping. Por que alguém gostaria de viver num lugar como este estava além da minha compreensão. A Universidade Estadual de Farmingdale, uma filial do Costco, cinco cemitérios, um do lado do outro, um campo de golfe, quadra após quadra de cercas brancas com calçadas e ruas perfeitamente cobertas de neve. Fazia sentido que Reva viesse de um lugar tão tosco. Isso explicava por que ela se matava para conseguir se encaixar num padrão e construir um lar em Nova York. Ela me contou que seu pai era contador. A mãe tinha sido secretária de uma escola judaica. Assim como eu, Reva era filha única.

"É aqui", ela disse quando paramos em frente à entrada de carro de uma casa de tijolos bege. Era pequena e num estilo casa de fazenda, provavelmente construída nos anos 50. Só de olhar o exterior eu já sabia que devia ter carpete por todo canto, um ar úmido e pegajoso, pé-direito baixo. Imaginei os armários abarrotados de porcarias, moscas voando em torno de uma fruteira de madeira com bananas quase apodrecidas, uma geladeira velha coberta de ímãs com cupons de desconto, vencidos, de papel higiênico e detergente, uma despensa entupida de comida barata da marca do supermercado. Era o oposto da casa dos meus pais, no norte do estado. A casa deles era incrivelmente grande, num estilo Tudor colonial, tudo muito austero, muito marrom. Toda a mobília era de uma madeira escura e pesada que a empregada polia religiosamente com um óleo com cheiro de limão. Sofá de couro marrom, poltrona de couro marrom. O assoalho era envernizado e brilhante. Havia vitrais na sala de estar e umas flores-de-cera enormes no vestíbulo. De resto, quase nada lá dentro tinha cor. Cortinas e tapetes monocromáticos. Nada que pudesse chamar atenção — bancadas limpas, tudo branco ou em tons escuros. Minha mãe não era do tipo que botava ímãs de letrinhas na porta da geladeira para fixar minhas pinturas de dedo do jardim de infância ou as primeiras tentativas de formar palavras. As paredes da casa estavam quase sempre vazias. Parecia que aos olhos dela qualquer coisa visualmente interessante pudesse ser fonte de irritação. Talvez por isso ela tenha fugido do Guggenheim quando me visitou em Nova York. Apenas o quarto principal, o dela, tinha algumas coisas aqui e ali — vidros de perfume e cinzeiros, equipamentos de ginástica que ela nunca usava, pilhas de roupas em tons pastel e bege. A cama enorme, rente ao chão. Sempre que eu dormia nela, me sentia muito distante do mundo, como se estivesse numa nave espacial ou na lua. Sentia falta daquela cama. O vazio duro dos lençóis amarelo-pálido da minha mãe.

Bebi o resto do café número 1 e guardei o copo de papel vazio dentro da sacola da Bloomingdale's. Reva estacionou ao lado de uma minivan enferrujada e de uma velha caminhonete Volvo amarela.

"Vem conhecer meus parentes", ela disse. "E vou te mostrar onde você pode descansar um pouco." Ela foi andando pelo caminho aberto na neve até a porta da casa e recomeçou o falatório. "Desde que ela morreu tenho estado exausta o tempo todo. Não durmo direito, fico tendo uns sonhos estranhos. Arrepiantes. Não são exatamente pesadelos. Só estranhos. Muito bizarro."

"Todo mundo acha que tem sonhos estranhos, Reva", respondi.

"É muita coisa pra mim, deve ser isso. Tem sido difícil, mas também bonito de um jeito triste e calmo. Você sabe o que ela me disse antes de morrer? 'Não fique tão preocupada em ser a queridinha de todo mundo o tempo todo. Vá se divertir um pouco.' Isso me tocou fundo, essa coisa de 'queridinha de todo mundo'. Porque é verdade. Me sinto pressionada a ser assim. Você acha que eu sou assim? Acho que nunca me senti boa o suficiente. Acho que foi saudável ouvir isso. Isso de ter que encarar a vida sozinha daqui pra frente. Meu pai e eu não somos tão próximos assim. Vou te apresentar a família rapidinho", ela disse, abrindo a porta da frente.

O interior da casa era exatamente como eu havia previsto — carpete verde-limão, lustre amarelo, de vidro, papel de parede dourado e teto rebaixado de estuque. O calor estava insuportável, e o ar carregava um cheiro de comida, café e água sanitária. Reva me levou para a sala de estar, cujas janelas davam para o jardim da frente, coberto de neve. Tinha uma TV enorme, sem som, e uma fileira de homens calvos de óculos, sentados num longo sofá estampado coberto de plástico transparente e brilhante. Enquanto Reva tirava a neve da bota no tapete, três mulheres gordas de vestido preto e bobe no cabelo traziam da cozinha bandejas de donuts e pães doces.

"Esta é minha amiga, a que tive que ir buscar", disse para as mulheres.

Fiz um sinal com a cabeça. Acenei. Podia sentir uma das mulheres analisando meu casaco de pele, meus tênis. Os olhos dela eram como os de Reva — cor de mel.

Reva pegou um donut da bandeja.

"Sua amiga está com fome?", perguntou uma delas.

"Que flores bonitas", disse a outra.

"Então você é a amiga de quem tanto ouvimos falar", disse uma terceira.

"Você *está* com fome?", Reva perguntou.

Balancei a cabeça negativamente, mas Reva me levou para a cozinha bem iluminada. "Tem um monte de comida, viu?" Os balcões e a mesa estavam cobertos de tigelas de pretzels, batatas fritas, castanhas, um prato de queijos, *crudités*, patês, biscoitos. "A gente comeu todos os bagels", disse Reva. O café estava sendo preparado num samovar sobre o balcão. Panelas enormes fumegavam no fogão. "Tem frango, espaguete, uma espécie de *ratatouille*", disse, levantando cada uma das tampas. Ela estava estranhamente à vontade. Parecia despida de suas pretensões e arrogâncias habituais. Não fez nenhuma tentativa de se desculpar por ser suburbana, interiorana, qualquer que fosse a palavra que ela teria usado para descrever alguém que vive numa casa como a dela — "sem glamour". Talvez tivesse acabado de virar a chave completamente. Abriu a geladeira para me mostrar várias prateleiras de vasilhas com legumes cozidos que ela havia preparado de véspera para ter algo para beliscar durante o dia. Ela não ia à academia desde o Natal.

"Mas tudo bem, agora não é o momento. Quer um pouco de brócolis?", disse, abrindo uma das vasilhas. O cheiro me atingiu em cheio e quase me fez vomitar.

"Tudo isso é para aquela coisa de ficar sentado? Vocês sentam por dez dias?", perguntei, entregando-lhe o buquê de flores.

"A shivá dura sete dias. Mas não. Minha família não é religiosa nem nada. Eles só gostam de sentar e comer um bocado. Minhas tias e tios vieram de Nova Jersey." Reva depositou as flores na pia, serviu-se de uma xícara de café, despejou um saquinho amassado de adoçante que tirou do bolso e mexeu a bebida distraidamente, os olhos fixos no chão. Tirei o copo do McDonald's da sacola e me reabasteci com café do samovar. A luz fluorescente quicou no chão de linóleo e me feriu os olhos.

"Realmente preciso me deitar, Reva", disse. "Não estou me sentindo muito bem."

"Tudo bem", ela respondeu. "Vem comigo." Voltamos para a sala de estar. "Pai, não deixa ninguém descer. Minha amiga precisa de um pouco de privacidade."

Um dos homens calvos fez um aceno de mão com desdém e mordeu um pão doce. A crosta se desfez e caiu em seu colete marrom. Pra mim, ele tinha cara de molestador de crianças. Todos aqueles homens tinham. Mas acho que qualquer um tem, se você analisar sob a luz certa. Até *eu* tenho. Até Reva. Enquanto o pai dela tentava conter os pedaços de doce que se amontoavam em seu peito, as mulheres da casa se levantaram e foram em seu socorro, sacudindo as migalhas do suéter sobre seus próprios pratos enquanto ele protestava. Se não fosse pelo espectro da morte pairando sobre tudo, eu teria me sentido num filme de John Hughes. Tentei imaginar Anthony Michael Hall fazendo uma ponta, talvez como o garoto da vizinhança que vinha dar os pêsames trazendo uma torta ou uma caçarola. Ou talvez essa fosse uma comédia sombria e Whoopi Goldberg interpretaria a agente funerária. Eu teria adorado uma cena dessas. Só de pensar em Whoopi já me acalmei. Ela, de fato, era minha heroína.

Reva me conduziu por uma escada em espiral até o porão, onde havia uma espécie de sala de recreação: carpete áspero azul, paredes revestidas de madeira, pequenas janelas perto do teto, um monte de aquarelas quase decentes penduradas de modo torto acima de um sofá lilás de vinil enrugado e cheio de dobras.

"Quem fez?", perguntei.

"Minha mãe. São lindas, né? Meu quarto é por aqui." Reva abriu a porta de um banheiro estreito de azulejos cor-de-rosa. A caixa da privada estava soltando água incessantemente. "É sempre assim", ela disse, sacudindo a manivela pra nada. Uma outra porta levava ao seu quarto, que estava escuro e sem circulação de ar. "Fica abafado aqui embaixo, não tem janela", ela sussurrou. Reva acendeu a lâmpada do criado-mudo. As paredes eram pintadas de preto. A porta de correr do armário estava rachada e havia sido retirada do trilho e encostada na parede. No armário havia apenas um vestido preto e uns cabides com algumas blusas. Além de uma pequena cômoda, também pintada de preto, com uma caixa de papelão por cima, o quarto não tinha quase nada. Reva ligou o ventilador de teto.

"Este quarto era seu?", perguntei.

Ela assentiu e puxou o saco de dormir de nylon azul e escorregadio que cobria uma cama boxe de casal sem cabeceira nem nada. Os lençóis de Reva tinham estampas de flores e borboletas. Eram lençóis tristes, velhos e puídos.

"Vim pra cá no ensino médio e pintei o quarto de preto. Pra ser *descolada*", Reva disse sarcasticamente.

"É muito descolado", respondi, largando minha sacola no chão e terminando o café.

"Quando te acordo? A gente tem que sair daqui por volta da uma e meia. Você precisa calcular quanto tempo precisa pra se arrumar."

"Você tem algum sapato pra me emprestar? E uma meia-calça?"

"Não deixo muita coisa aqui", disse Reva, abrindo e fechando as gavetas. "Mas você pode usar algo da minha mãe. Você calça trinta e sete, né?"

"Trinta e oito", respondi.

"Deve ter alguma coisa lá em cima que caiba em você. Te acordo por volta da uma."

Ela fechou a porta. Sentei na cama e apaguei a luz. Vinha um barulho do banheiro.

"Estou deixando toalhas limpas pra você aqui perto da pia", Reva disse através da porta. Me perguntei se minha presença a impediria de vomitar. Queria ter dito que não me importaria se ela vomitasse. Não me incomodaria em nada. Entenderia. Se vomitar pudesse me trazer algum consolo, eu teria tentado isso há anos. Fiquei esperando o som da porta fechando e das escadas rangendo enquanto ela subia e fui dar uma olhada no armário da pia. Havia um velho frasco de amoxicilina com sabor de chiclete e um tubo meio vazio de creme anticoceira. Bebi a amoxicilina. Fiz xixi no vaso enquanto a água continuava escorrendo. A calcinha que eu usava era de algodão branco com uma velha mancha de sangue amarronzada. Isso me lembrou que eu não menstruava havia meses.

Voltei para debaixo do saco de dormir e fiquei ouvindo a movimentação dos parentes de Reva lá em cima — passos, lamúrias, toda aquela comida e energia neurótica passando de mão em mão, mandíbulas rangendo, mágoas e opiniões e a angústia ou fúria reprimida ou o que quer que Reva estivesse tentando abafar com comida.

Fiquei acordada por um bom tempo. Era como estar num cinema depois que as luzes se apagam, esperando os trailers.

Mas não acontecia nada. Me arrependi do café. Sentia que o tormento de Reva estava ali comigo, no quarto. Era uma tristeza particular de menina que perdeu a mãe — complexa, raivosa e delicada, mas estranhamente esperançosa. Reconheci aquilo tudo, mas nada reverberava dentro de mim. A tristeza apenas flutuava no ar, ficando um pouco mais densa na granulação das sombras. A verdade bastante evidente era que Reva havia amado sua mãe de uma forma que eu nunca tinha amado a minha. Minha mãe não foi uma pessoa fácil de amar. Tenho certeza de que ela era complexa e digna de uma análise mais detida. E era linda. Mas nunca a conheci de verdade. Por isso a tristeza daquele quarto me pareceu engarrafada. Banal. Como a nostalgia por uma mãe de novela — alguém que cozinhava e limpava a casa, me dava um beijo na testa e fazia um curativo no meu joelho, lia comigo antes de dormir, me punha no colo e me embalava se eu chorasse. Minha própria mãe teria revirado os olhos só de pensar em fazer tudo isso. "Não sou sua *babá*", era o que ela me dizia. Mas nunca tive babá. Havia alunas da faculdade que a secretária do meu pai arranjava para ficar comigo quando eles saíam. Sempre tivemos uma empregada, Dolores. Minha mãe a chamava de "a empregada". Eu podia defender sua aversão à vida doméstica como uma espécie de afirmação feminista de seu direito ao lazer, mas na verdade acho que ela se recusava a cozinhar e a limpar porque achava que fazer essas coisas cimentaria seu fracasso como socialite.

 Ah, minha mãe. Em suas fases mais funcionais, ela mantinha uma dieta rigorosa de café preto e ameixas no café da manhã. No almoço, Dolores preparava um sanduíche que ela apenas mordiscava, deixando as sobras num prato de porcelana sobre a bancada — uma lição pra mim, penso eu, de como não exagerar na comida. À noite, ela bebia Chardonnay cor de xixi com gelo. Havia caixas da bebida na despensa. A cada dia eu via seu rosto inchar e desinchar, dependendo do quanto bebera. Gostava de imaginá-la chorando escondido, lamentando seus defeitos como mãe, mas duvido que essa fosse a causa do choro. Duas delicadas bolsinhas sob os olhos. Ela usava creme de hemorroida para reduzir o inchaço; percebi depois que ela morreu, limpando sua gaveta de maquiagem. Fenilefrina e sombra cor champagne e base para pele clara mesmo se fosse ficar em casa. Batom rosinha Yves-Saint Laurent. Ela odiava o lugar onde a gente morava, dizia que se sentia na roça, tão longe da cidade. "Não tem cultura nenhuma aqui", dizia. Mas, se por acaso houvesse uma casa de ópera ou uma orquestra sinfônica — era isso que ela entendia por "cultura" —, ela nunca teria ido. Achava que era sofisticada — gostava de roupas finas, de bebida boa —, mas não sabia nada de arte. Não lia nada além de romances água com açúcar. Não havia flores frescas em casa. Ela basicamente via TV e fumava na cama o dia todo, pelo que pude ver. Essa era a sua "cultura". Todo ano, perto do Natal, ela me levava ao shopping e me dava um único chocolate, comprado na loja da Godiva. Depois passeávamos por todas as lojas enquanto minha mãe chamava tudo de "chinfrim", "caipira", "olha essa blusa, perfeita pra fazer programa". Ela parecia ganhar um sopro de vida ao se aproximar do balcão de perfume. "Este cheira a calcinha de piranha." Essas idas ao shopping foram as poucas vezes em que nos divertimos juntas.

Meu pai também era uma criatura desprovida de alegria dentro de casa. Um sujeito chato e quieto. Quando eu era criança, de manhã passávamos um pelo outro no corredor como se fôssemos dois estranhos. Ele era sério, estéril, um cientista. Parecia muito mais à vontade com seus alunos do que comigo ou com minha mãe. Ele era de Boston, filho de um cirurgião e de uma professora de francês. A coisa mais íntima que já me contou foi que seus pais morreram num acidente de barco um ano depois de eu nascer. Ele tinha uma irmã no México, que se mudou pra lá no início dos anos 80 para "ser beatnik", disse meu pai. "A gente não tem nada a ver um com o outro."

Ponderando tudo isso no quarto preto de Reva, sob seus lençóis tristes e puídos, eu não sentia nada. Podia *pensar* em sentimentos, emoções, mas não conseguia evocá-los dentro de mim. Não conseguia nem localizar de onde vinham minhas emoções. Do cérebro? Não fazia sentido. Irritação era o que eu conhecia melhor — um peso no peito, uma palpitação no pescoço, como se minha cabeça estivesse acelerando antes de se descolar do corpo. Isso, no entanto, parecia estar intimamente ligado ao sistema nervoso — uma resposta fisiológica. Seria a tristeza algo dessa mesma natureza? A alegria? A saudade? O amor?

Durante o tempo que tive de matar naquele quarto negro onde Reva havia passado a infância, decidi me testar pra ver o que sobrara das minhas emoções, como eu estava depois de dormir tanto. Minha esperança era de que aqueles mais de seis meses de sono tivessem me curado a ponto de terem me tornado imune a lembranças dolorosas. Então voltei a pensar na morte de meu pai. Fiquei muito comovida naquela ocasião, por isso pensei que, se ainda me restasse alguma lágrima, ela seria chorada por ele.

"Seu pai quer passar os últimos dias em casa", disse minha mãe ao telefone. "Não me pergunte por quê." Ele estava morrendo no hospital havia semanas, mas agora queria morrer em casa. No dia seguinte, saí da faculdade e peguei o trem para ir visitá-lo — não porque achasse que minha presença significaria grande coisa, mas para provar à minha mãe que eu era uma pessoa melhor do que ela: disposta a ser incomodada pelo sofrimento alheio. E não esperava que a dor do meu pai me afetasse tanto. Eu mal o conhecia. Sua doença havia corrido de modo sigiloso, como se fizesse parte de seu trabalho. Nada em que eu tivesse que meter o meu bedelho ou um dia fosse capaz de compreender.

    Perdi uma semana de aula sentada dentro de casa, vendo ele murchar. Uma cama enorme tinha sido instalada no escritório, junto com vários equipamentos médicos que eu tentava ignorar. Duas enfermeiras se revezavam ininterruptamente, de modo que uma delas sempre estivesse lá, sentindo o pulso de meu pai, esfregando sua boca com uma pequena esponja encharcada presa a um palito, bombardeando-o com analgésicos. Minha mãe ficava quase o tempo todo sozinha, no quarto. De vez em quando saía para botar gelo num copo. Ela ia até o escritório na ponta dos pés, sussurrava algo para a enfermeira, raramente me dizia alguma coisa, mal olhava para o meu pai. Sentei na poltrona ao lado da cama dele e fingi ler alguma coisa sobre Picasso. Não queria constranger meu pai olhando pra ele, mas era difícil não olhar. Suas mãos pareciam enormes e ossudas. Os olhos baços e afundados no crânio. A pele fina. Os braços como galhos de uma árvore sem folhas. Era uma cena esquisita. Estudei o *Velho guitarrista cego*, de Picasso. *A morte de Casagemas*. Meu pai se encaixava no período azul. *Homem sob efeito de morfina*. Vez ou outra ele tossia e se sacudia, mas não tinha nada para me dizer. "Ele está sob remédios pesados demais, não consegue conversar", me consolou a enfermeira. Coloquei meus fones de ouvido e fiquei ouvindo fitas antigas no walkman enquanto lia. Prince. Bonnie Raitt. Qualquer coisa. Do contrário, o silêncio seria enlouquecedor.

    Então, num domingo de manhã, meu pai ficou subitamente lúcido e me disse com naturalidade que morreria naquela tarde. Não sei se o que me abalou foi a franqueza e a certeza contidas em sua declaração — ele sempre foi clínico, sempre racional, sempre seco —, ou o fato de que sua morte já não era apenas uma ideia — estava acontecendo, era real —, ou se durante a semana que passei a seu lado se formou um elo entre nós sem o meu conhecimento ou consentimento, e de uma hora para outra eu o amava. Foi então que o perdi. Comecei a chorar. "*Vou ficar bem*", ele disse. Me ajoelhei a seu lado e enterrei o rosto em sua velha manta azul. Queria que ele acariciasse minha cabeça. Queria que me acalmasse. Ele olhou para o teto enquanto eu implorava para que não me deixasse sozinha com minha mãe. Era uma súplica apaixonada.

"Prometa que vai me enviar um sinal", implorei, alcançando sua mão enorme e esquisita. Ele se desvencilhou. "Um sinal *enorme*, mais de uma vez, de que você ainda está aqui, de que há vida do outro lado. O.k.? Prometa que vai aparecer pra mim de alguma forma. Me dê um sinal que eu não esteja esperando. Uma coisa que me faça saber que você continua olhando por mim. Uma coisa grande. O.k.? Por favor! Você promete?"

"Vá chamar minha esposa", ele disse à enfermeira.

Quando minha mãe entrou, ele apertou o botão de seu gotejamento de morfina.

"Alguma última palavra?", minha mãe perguntou.

"Espero que tudo tenha valido a pena", ele respondeu. Até o fim da vida dele — cerca de quatro horas — fiquei sentada na cadeira, chorando, enquanto minha mãe se embebedava na cozinha, virando a cabeça de vez em quando para ver se ele já estava morto.

Uma hora ele finalmente estava.

"Acabou, certo?", minha mãe perguntou.

A enfermeira tomou o pulso dele, depois puxou o cobertor sobre sua cabeça.

A lembrança deveria ter me despertado alguma dor. Deveria ter reacendido as brasas daquele acontecimento trágico. Mas nada disso ocorreu. Lembrando de tudo isso na cama de Reva, não senti quase nada. Só uma ligeira irritação com as pelotinhas do colchão, com o barulhão que o saco de dormir fazia sempre que eu me virava. No andar de cima, os parentes de

Reva assistiam televisão a todo volume. Os sons de suspense de *Law & Order* ecoavam pelo chão.

Eu não ia a um velório desde o enterro de minha mãe, quase sete anos antes. A cerimônia foi rápida e informal, na capela da funerária. Os convidados mal enchiam as primeiras filas — somente eu, a irmã do meu pai, alguns vizinhos, a governanta. Os nomes que apareciam em sua agenda telefônica eram de médicos — dela e do meu pai. Meu professor de artes do ensino médio estava lá. "Não deixe isso acabar com você, querida", disse. "Você pode me ligar sempre que precisar de um adulto pra te apoiar." Nunca liguei pra ele.

O velório do meu pai, por outro lado, foi um grande evento. Tinha um programa impresso, longos discursos. Pessoas pegaram aviões de lugares distantes para prestar condolências. Os bancos da capela da universidade não eram acolchoados e os ossos da minha bunda batiam contra a madeira dura. Sentei na primeira fila, ao lado da minha mãe, tentando ignorar seus suspiros e pigarros. Ela havia passado tanto gloss que ele começou a derreter pelo queixo. Quando o presidente da universidade anunciou que o departamento de ciências lançaria uma bolsa de pesquisa em homenagem ao meu pai, minha mãe soltou um gemido. Peguei sua mão e a apertei. Foi um gesto atrevido da minha parte, mas achei que poderíamos estabelecer uma ligação agora que tínhamos algo tão grande em comum — um homem morto cujo sobrenome compartilhávamos. Sua mão estava fria e ossuda, como a de meu pai estivera em seu leito de morte, alguns dias antes. Agora me parece um prenúncio óbvio, mas na época não tinha pensado nisso. Em menos de um minuto ela soltou minha mão para vasculhar sua bolsa em busca da caixinha de remédios. Eu não sabia o que exatamente ela estava tomando naquele dia — um estimulante, pensei. Ela passou a cerimônia inteira de casaco dentro da capela. Mexia nas meias, no cabelo, virava-se para os bancos lotados atrás de nós toda vez que ouvia alguém suspirar, fungar ou sussurrar. As horas pareciam intermináveis, a espera até que todos chegassem, as formalidades. Minha mãe aquiesceu. "É como esperar um trem rumo ao inferno", sussurrou em algum momento, não diretamente pra mim, mas para o teto da capela. "Estou exausta." Via expressa para o inferno. Estrada para o inferno. Ônibus. Táxi. Barco a remo. Bilhete de primeira classe. Inferno era o único destino que ela usava em suas metáforas.

Quando chegou a hora das homenagens no púlpito, os pequenos discursos elogiosos que as pessoas fariam sobre meu pai, formou-se uma fila no corredor central.

"Agora eles se acham especiais só porque conhecem alguém que morreu." Revirou os olhos vermelhos e velozes. "Isso faz com que se sintam importantes. *Ególatras*." Amigos, colegas, gente do trabalho e alunos leais discursavam emocionados no púlpito. As pessoas choravam. Minha mãe se contorcia. Eu podia ver nossos reflexos no brilho do caixão à nossa frente. Éramos apenas duas cabeças pálidas e nervosas.

Não conseguia dormir na cama de Reva. Era uma causa perdida.

Decidi tomar um banho. Me levantei, tirei a roupa e abri a torneira, observando o banheiro se encher de vapor. Desde que comecei a dormir o tempo todo, meu corpo ficou muito magro. Meus músculos se tornaram flácidos. Eu ainda ficava bem de roupa, mas nua parecia frágil, esquisita. Costelas salientes, pele enrugada ao redor do quadril, pele solta no abdômen. Minha clavícula se projetava para a frente. Meus joelhos pareciam enormes. Àquela altura, todo meu corpo era formado por cantos pontiagudos. Cotovelo, clavícula, ossinho do quadril, vértebra do pescoço. Meu corpo era como uma escultura de madeira precisando de um polimento nas arestas. Reva teria ficado horrorizada ao me ver assim. "Você está parecendo um esqueleto. Parece a Kate Moss. Não é *justo*", ela teria dito.

A única vez que Reva me viu completamente nua foi numa casa de banho russa na rua 10 Leste. Mas isso havia sido um ano e meio antes, eu ainda não tinha começado minha "dieta do sono", como Reva a apelidou. Ela queria "emagrecer" antes de ir a uma festa na piscina nos Hamptons, numa comemoração do Quatro de Julho.

"Sei que só estou perdendo água, suando", ela disse. "Mas é uma boa solução de última hora."

Nós fomos no único dia da semana em que a casa só recebia mulheres. A maioria das meninas estava de biquíni. Reva vestia maiô e enrolava uma toalha em volta do quadril toda vez que levantava. Aquilo me parecia meio besta. Eu fiquei pelada.

"O que está te deixando tão tensa, Reva?", perguntei enquanto descansávamos na piscina de água gelada. "Não tem nenhum homem aqui. Ninguém está te olhando."

"O problema não são os homens", ela disse. "As *mulheres* é que julgam o tempo todo. Estão sempre se comparando."

"Mas por que você se importa com isso? Não é uma competição."

"É sim. Você não percebe porque sempre esteve no pódio."

"Isso é ridículo", respondi. Mas sabia que Reva estava certa. Eu era gostosa. As pessoas sempre diziam que eu parecia a Amber Valletta. Reva também era bonita, claro. Parecia a Jennifer Aniston e a Courteney Cox juntas. Eu não falei isso naquela época. Ela seria mais bonita se relaxasse um pouco. "Relaxa", eu disse. "Isso é besteira. Você acha que alguém vai te julgar por não parecer uma supermodel?"

"Isso costuma ser a primeira coisa que julgam numa mulher nesta cidade."

"Por que você se importa com o que pensam de você? Os nova-iorquinos são uns idiotas."

"Eu me *importo*, o.k.? Eu quero estar no padrão. Quero ter uma vida legal."

"Meu Deus, Reva. Isso é patético."

Então ela se levantou e desapareceu por entre a névoa de eucalipto da sauna. Foi uma discussãozinha, uma das centenas que tivemos sobre minha arrogância e o não reconhecimento dos meus privilégios. Ai, Reva.

O boxe do banheiro do porão era pequeno, a porta embaçava, o vidro era cinza. Não tinha sabonete, só um frasco de xampu barato. Lavei o cabelo e fiquei debaixo d'água até que ela começasse a esfriar. Quando saí, pude ouvir as notícias ecoando do teto. As toalhas que Reva havia me deixado na pia eram cor-de-rosa e verde-claro e cheiravam levemente a mofo. Esfreguei o nevoeiro do espelho e me olhei de novo. Meu cabelo estava na altura do pescoço. Talvez devesse cortar ainda mais, pensei. Talvez eu gostasse do resultado. Joãozinho. *Gamine*. Ficaria parecida com a Edie Sedgwick. "Você ficaria a cara da Charlize Theron", diria Reva. Me enrolei na toalha e deitei na cama.

Tinha outras coisas que podiam me deixar triste. Pensei em *Amigas para sempre*, *Flores de aço*, no assassinato de Martin Luther King Jr., em River Phoenix morrendo na calçada em frente ao Viper Room, *A escolha de sofia*, *Ghost*, *E.T.*, *Os donos da rua*, aids, Anne Frank. *Bambi* era triste. *Um conto americano* e *Em busca do vale encantado* eram tristes. Pensei em *A cor púrpura*, quando Nettie é expulsa e precisa deixar Celie naquela casa, escrava de seu marido abusivo. "Nada além da morte pode me manter longe dela!" *Isso* era triste. Devia ter funcionado, mas não me fazia chorar. Nada disso foi fundo o bastante para apertar qualquer que fosse o botão que ativasse meu "derramamento de tristeza".

Mesmo assim, continuei tentando.

Pensei no dia do enterro do meu pai — eu escovando o cabelo diante do espelho, com um vestido preto, cutucando as cutículas até sangrar, minha visão ficando embaçada de lágrimas, eu quase tropeçando ao descer a escada, o carpete de folhas de outono turvando a vista enquanto levava minha mãe até a capela da universidade dirigindo seu Trans Am, o espaço entre nós cheio de listas emaranhadas da fumaça azul-clara de seu Virginia Slim, ela me dizendo para não abrir a janela porque o vento iria desarrumar seu cabelo.

Nem sinal de tristeza.

"Sinto muito", disse Peggy inúmeras vezes durante o velório do meu pai. Peggy era a única amiga que minha mãe manteve até o fim — tipo uma Reva, com certeza. Ela morava na esquina da casa dos meus pais, numa casa estilo colonial holandês cor de lavanda, com um quintal cheio de flores silvestres no verão, bonecos de neve desengonçados e fortes construídos por seus dois filhos pequenos no inverno, bandeiras de oração tibetanas esfarrapadas penduradas sobre a porta da frente, muitos sinos dos ventos, uma cerejeira. Meu pai se referia a ela como "a casa hippie". Percebi que ela não era lá muito inteligente e que minha mãe não gostava dela tanto assim. Mas Peggy lhe oferecia uma boa dose de comiseração. E minha mãe adorava que sentissem comiseração por ela.

Depois do velório ainda passei uma semana em casa. Queria fazer o que pensava que deveria ser o certo — ficar de luto. Tinha visto isso em filmes — espelhos cobertos, relógios antigos parados, tardes apáticas passadas em silêncio exceto por uma ou outra fungada e o rangido do assoalho velho cedendo aos passos de alguém que vinha da cozinha trajando um avental e dizia: "Você devia comer alguma coisa". E eu queria uma mãe, admitia isso. Queria que ela me abraçasse enquanto eu chorava, que me trouxesse uma xícara de leite morno com açúcar, que me comprasse um chinelo confortável, que alugasse vídeos e assistisse comigo, que pedisse pizza e comida chinesa. Claro que não disse a ela que era isso o que eu queria. Ela passava a maior parte do tempo desmaiada na cama, com a porta do quarto trancada.

Apareceram algumas visitas naquela semana. Quando isso acontecia, minha mãe fazia o cabelo, se maquiava, borrifava aromatizador pelos cômodos, abria as cortinas. Peggy ligava duas vezes por dia. "Estou bem, Peggy. Não, não venha. Vou tomar um banho e tirar uma soneca. Domingo? Tudo bem, mas me ligue primeiro."

À tarde eu pegava o carro e saía por aí dirigindo sem rumo ou até o shopping ou o supermercado. Minha mãe deixava listas de compras e um bilhete para o cara do empório de bebidas: "Esta menina é minha filha e eu a autorizo a comprar bebida alcoólica. Ligue se quiser confirmar sua identidade. O número é…". Eu comprava vodca. Comprava uísque e club soda. Não achei que ela corresse nenhum perigo real. Ela bebia muito havia anos. Talvez eu tenha sentido algum prazer em fomentar sua autodestruição ao lhe comprar bebidas, mas não queria que minha mãe morresse. Não foi isso. Lembro de uma tarde que ela saiu do quarto, passou por mim, que estava deitada no chão, soluçando, foi até a cozinha, fez um cheque para a empregada, pegou uma garrafa de vodca no freezer, me disse para desligar a TV e voltou para o quarto.

Isso era o pior de tudo. Eu estava muito chateada. Não saberia descrever com precisão o que eu estava "fazendo". E ninguém ligou pra perguntar. Todo mundo que eu conhecia na faculdade me odiava por eu ser muito bonita. Olhando em retrospecto, posso ver que Reva foi uma pioneira: foi a única que, de fato, ousou tentar me conhecer. A gente só ficou amiga mais pro fim daquele ano. Durante o restante da minha semana de luto, meus humores ultrapassaram as categorias padrão que eu era capaz de reconhecer. Às vezes tudo era silencioso e cinzento. No minuto seguinte, as coisas viravam um tecnicolor berrante e absurdo. Parecia que eu estava drogada, embora não tivesse tomado nada. Nem beber eu bebi naquela semana. Pelo menos não até o dia em que um sujeito da universidade, o professor Plushenko, um dos colegas de meu pai, foi lá em casa e minha mãe tentou entretê-lo.

O professor Plushenko chegou com a desculpa de prestar condolências trazendo um bolo e uma garrafa de conhaque polonês. Ele estava lá para convencer minha mãe a entregar os papéis de meu pai a ele. Tive a impressão de que ele pedia algo que meu pai não teria dado de bom grado. Me senti responsável por acompanhar a conversa e garantir que esse cara não se aproveitasse da fragilidade da minha mãe. Aparentemente, o sujeito conhecia meus pais havia muitos anos.

"Você se parece com a sua mãe", ele disse naquela noite, olhando para mim. Sua pele era fosca e ocre, os lábios estranhamente vermelhos e suaves. Ele usava um terno cinza listrado e cheirava a colônia adocicada.

"Minha filha mal tem dezenove anos", brincou minha mãe. Ela não estava me defendendo contra a luxúria dele. Estava blefando. Naquela época eu já tinha vinte.

É claro que não tinha jantar — minha mãe era incapaz de providenciar isso —, mas havia bebidas. Fui autorizada a beber. Depois de alguns drinques, o cara sentou no sofá entre nós duas e falou sobre a contribuição inestimável do meu pai para as futuras gerações de cientistas, de como ele se sentia privilegiado por ter trabalhado tão perto dele. "Seu legado está em seus alunos *e* em seus trabalhos. Quero garantir que nada disso se perca por aí. É um material precioso. Deve ser tratado com muita atenção."

Minha mãe mal conseguia falar. Ela deixou que uma lágrima escorresse pelo rosto, formando uma listra cinza e borrada em sua maquiagem. O homem colocou o braço em volta dos ombros dela. "Ah, coitadinha. Uma perda trágica. Ele foi um grande homem. Sei o quanto ele a amava." Acho que minha mãe estava sofrida demais, bêbada demais ou medicada demais para notar que em algum ponto da conversa o outro braço do sujeito começou a serpentear do joelho dele para o meu. Eu também estava bêbada e fiquei imóvel. Quando minha mãe se levantou para ir ao banheiro, ficamos sozinhos no sofá e ele me deu um beijo na testa e roçou o dedo na lateral do meu pescoço e sobre o meu mamilo esquerdo. Eu sabia o que ele estava fazendo. Não resisti. "Coitadinha."

Meus mamilos ainda estavam duros quando minha mãe voltou, tropeçando na borda do tapete.

Meu pai deixou tudo para minha mãe, incluindo suas pesquisas. Depois que ela morreu, fui eu quem entrei lá, empacotei tudo e levei as caixas para o porão. Aquele colega dele nunca viu uma só página. O que eu queria em troca ao deixar aquele cara me beijar ainda não está completamente claro pra mim. Talvez quisesse ferir a dignidade da minha mãe. Ou talvez só quisesse um pouco de carinho. Trevor e eu estávamos separados havia meses naquela época. E eu não telefonei contando que meu pai havia morrido. Estava guardando isso para mais tarde, para ele se sentir péssimo.

Na manhã seguinte chamei um táxi até a estação de trem. Não acordei minha mãe pra dizer que estava voltando para a faculdade. Não deixei um bilhete. Uma semana se passou. Ela não ligou. Quando ela "sofreu o acidente", como eles disseram no hospital, foi Peggy quem a encontrou.

"Ah, querida", disse ao telefone. "Ela ainda está viva, mas os médicos disseram que você deveria vir o mais rápido possível. Sinto muito, muito mesmo."

Meus joelhos não dobraram. Eu não caí no chão. Estava na casa da irmandade. Podia ouvir as meninas cozinhando, conversando a respeito de dietas sem gordura e de como não ficar bombada na academia.

"Obrigada por avisar", respondi. Peggy estava choramingando e resfolegando. Não contei a ninguém na irmandade sobre o ocorrido. Não queria lidar com a indignidade daquilo tudo.

Demorei quase um dia inteiro para chegar lá. No trem, escrevi um trabalho final sobre Hogarth. Parte de mim cultivava a esperança de que minha mãe já estivesse morta quando eu desembarcasse.

"Ela sabe que você está aqui", disse Peggy no quarto do hospital.

Eu sabia que não era verdade. Minha mãe estava em coma. Ela já tinha ido embora. De vez em quando o olho esquerdo piscava — azul-claro, congelado, cego, um olho aterrorizante, vazio e sem alma. No quarto do hospital, lembro de ter notado que as raízes do cabelo dela estavam aparecendo. Ela fora cuidadosa em manter seu cabelo loiro quase branco desde que eu me entendia por gente, mas agora sua cor natural surgia num tom mais quente — loiro mel, a cor do meu. Eu nunca tinha visto seu cabelo de verdade até então.

O corpo da minha mãe ficou vivo por exatamente três dias. Mesmo com um tubo no pescoço, um aparelho grudado no rosto para fazê-la respirar, ela ainda era bonita. Ainda estava em forma. "Seus órgãos estão desligando", explicou o médico. Falha sistêmica. Ela não sentiu nada, ele me assegurou. Morte cerebral. Não estava pensando, sonhando ou experienciando nada, nem mesmo a própria morte. Eles desligaram as máquinas e eu sentei ao lado dela, esperando, vendo a tela piscar, depois parar. Ela não estava descansando. Não estava em paz. Não estava em estado algum, era um não estado. A paz que ainda podia ser atingida, pensei, observando-os puxar o lençol sobre a cabeça dela, era a minha.

"Ai, querida. Eu sinto muito, muito mesmo." Peggy soluçou e me abraçou. "Pobrezinha. Coitadinha da minha órfã tão querida."

Ao contrário da minha mãe, eu odiava ser objeto de pena.

Não havia nenhuma novidade a ser extraída dessas memórias, é claro. Não dava para ressuscitar minha mãe e puni-la.

Ela se retirou de cena antes que pudéssemos ter uma única conversa de verdade. Fiquei me perguntando se ela não teria ficado com inveja do meu pai, de seu velório lotado. Ela deixou um bilhete. Encontrei em casa à noite, quando voltei do hospital. Peggy me deu uma carona. Me sentia estoica, entorpecida. A carta estava na mesa do meu pai. Minha mãe a escreveu numa página de um bloco de notas escolar barato. Sua caligrafia começava com letras de fôrma e um traço forte, mas no fim ficava enfraquecida e cursiva. A carta não tinha nada de original. Ela dizia que não se sentia preparada para lidar com a vida, que se sentia uma estranha, uma aberração, que a consciência era intolerável e que estava com medo de enlouquecer. "Adeus", escreveu, em seguida enumerou as pessoas que conhecia. Eu estava em sexto lugar numa lista de vinte e cinco. Reconheci alguns dos nomes — amigas há muito abandonadas, seus médicos, o cabeleireiro. Guardei a carta e nunca a mostrei a ninguém. Vez ou outra, ao longo dos anos, quando me sentia abandonada e com medo e ouvia uma vozinha dentro de mim, dizendo: "Eu quero a minha mãe", pegava essa carta e a relia como um lembrete de como minha mãe era de fato e do quão pouco se importava comigo. Isso ajudava. A rejeição, descobri, pode ser o único antídoto para a ilusão.

Minha mãe tinha sido como acabei sendo — filha única de pais mortos, então já não havia nenhum parente com quem brigar. A irmã do meu pai voltou do México no Natal e pegou o que queria da casa — alguns livros, a prataria. Ela se vestia com ponchos coloridos e xales de seda com franjas, mas tinha a mesma atitude asséptica de meu pai em relação à vida. Não parecia triste por ter perdido o irmão, mas com raiva do que chamava de "lixo tóxico". "Ninguém tinha câncer há mil anos. A culpa é desses produtos químicos. Estão por toda parte — no ar, na comida, na água que bebemos." Acho que em certa medida ela me ajudou, ao concordar comigo quando lhe disse que estava aliviada por minha mãe ter ido embora, mas queria que meu pai tivesse aguentado pelo menos o suficiente para me ajudar a cuidar da casa, a pôr as coisas em ordem. Tentei deixar tudo sob controle enquanto ela estava por perto.

Depois que ela foi embora, passei dias sozinha em casa, examinando os álbuns da minha infância, soluçando sobre pilhas de pacotes fechados de meia-calça da minha mãe. Chorei sobre o pijama que meu pai usou em seu leito de morte, sobre as biografias de Theodore Roosevelt e Josef Mengele cheias de páginas marcadas sobre o criado-mudo dele, sobre um níquel com uma pátina esverdeada que estava no bolso da sua calça favorita, sobre um cinto no qual ele precisou fazer mais furos quando ficou ainda mais doente e magro nos meses que antecederam sua morte.

Não houve grande drama. Tudo estava calmo.

Pensei no que diria à minha mãe se de repente ela aparecesse no porão de Reva. Imaginei seu desgosto com a vulgaridade de tudo, o ar viciado. Não me ocorreu nada que quisesse perguntar a ela. Não havia em mim nenhum desejo ardente de proclamar qualquer fúria ou tristeza. "Oi", foi o máximo que consegui imaginar para o nosso diálogo hipotético.

Levantei da cama e peguei ao acaso uma das caixas de papelão na escrivaninha de Reva. Em seu anuário do terceiro ano, encontrei apenas uma foto dela, aquele retrato padrão. Ela se destacava em meio a um monte de rostos entediantes. Tinha cabelos crespos e revoltos, bochechas rechonchudas, sobrancelhas maltratadas de tanta pinça e que se insinuavam pela testa como setas tortas, batom escuro, delineador preto e grosso. Seu olhar estava ligeiramente descentralizado, vago, infeliz, possesso. Parecia ter sido uma pessoa muito mais interessante antes de ir para a faculdade — gótica, esquisitona, punk, rejeitada, delinquente, marginal, fracassada. Desde que eu a conhecia, ela estava mais para maria vai com as outras, vulgar, certinha e conformista. Parecia, no entanto, que no ensino médio tinha tido uma vida interior rica e secreta, com desejos que iam além das bebedeiras e das noites de pebolim que os subúrbios de Long Island tinham a oferecer. Juntei dois mais dois e imaginei que Reva havia se mudado para Manhattan por causa da faculdade e então decidira se adequar — ser magra, bonita, falar como todas as outras meninas magras e bonitas falavam. Fazia sentido que quisesse alguém como eu para o papel de melhor amiga. Talvez sua melhor amiga da escola tivesse sido uma esquisitona como ela. Talvez tivesse algum tipo de deficiência — um braço aleijado, síndrome de Tourette, óculos fundo de garrafa, alopecia. Imaginei as duas juntas naquele quarto preto do subsolo ouvindo música: Joy Division. Siouxsie & the Banshees. Pensar em Reva deprimida e dependente de alguém que não fosse eu me deixou um pouco enciumada.

    Voltei para a faculdade depois do velório da minha mãe. As meninas da irmandade não perguntaram se eu estava bem, se queria conversar. Todas me evitaram. Umas poucas deixaram bilhetes debaixo da minha porta. "Sinto muito por você estar passando por isso!" Da minha parte, é claro que estava aliviada por ser poupada da humilhação de ter uma dúzia de meninas me tratando de modo condescendente e, no fim, provavelmente me culpando por não ser "mais aberta". Não eram minhas amigas. Reva e eu estávamos na mesma sala de francês naquele ano. Éramos parceiras de conversação. Ela tomou notas pra mim enquanto estive fora e, quando retornei, não teve medo de fazer perguntas. Em sala, desviou do assunto que estávamos estudando para me perguntar num francês horrível como eu estava, o que tinha acontecido, se estava triste ou com raiva, se queria encontrá-la fora da aula para conversar em inglês. Aceitei o convite. Ela queria saber todos os detalhes do tormento que eu tinha passado com os meus pais, todos os insights que eu havia tido, como eu me sentia, como havia vivenciado o luto. Dei a ela um panorama geral. Conversar com Reva sobre coisas ruins era insuportável. "Olhe pelo lado positivo", era o que ela queria que todos fizessem. Mas pelo menos se importava.

No último ano da faculdade, saí da casa da irmandade e fui dividir um apartamento de dois quartos com Reva fora do campus. A convivência solidificou nosso vínculo. Eu era depressiva, vazia e reprimida. Ela era faladeira e obsessiva, sempre batendo à minha porta, perguntando uma besteira qualquer, procurando uma desculpa para conversar. Passei muito tempo olhando para o teto naquele ano, tentando neutralizar pensamentos sobre a morte com pensamentos sobre o nada. As frequentes interrupções de Reva provavelmente me impediram de pular pela janela. Toc, toc. "Pausa para uma conversinha?" Ela gostava de vasculhar meu armário, virando as etiquetas para olhar os preços e verificando o tamanho de cada uma das peças que eu havia comprado com o dinheiro que herdei. Sua obsessão pelo mundo material me tirou de qualquer buraco existencial em que eu tivesse entrado.

Nunca perguntei nada a Reva a respeito de seus vômitos, que eu invariavelmente ouvia toda noite, quando ela voltava do refeitório. Em casa, ela só comia mini-iogurtes sem açúcar e cenourinhas com mostarda. As palmas de suas mãos eram alaranjadas de tanto comer cenoura. Dezenas de embalagens de mini-iogurtes entulhavam a lixeira de recicláveis.

Naquela primavera fiz longas caminhadas pela cidade com tampões de ouvido. Me sentia melhor ouvindo os ecos da minha respiração, o catarro roçando garganta abaixo quando eu engolia, os olhos piscando, o tique-taque do coração. Foram dias cinzentos que passei olhando para a calçada, matando aula, comprando coisas que jamais usaria, pagando os olhos da cara para um gay enfiar um tubo no meu cu e esfregar meu intestino, me diga que eu vou me sentir bem melhor assim que meu cólon estiver limpo. Juntos, víamos pequenos flocos de cocô fluindo através do tubo de saída. Sua voz era suave, porém entusiasmada. "Gata, você está indo muito bem", ele dizia. Eu fazia peeling, unha, massagem, depilação, cortava o cabelo com mais frequência do que o necessário. Acho que foi assim que passei o luto, pagando estranhos para me sentir melhor. Bem que podia ter contratado uma prostituta, pensei. É mais ou menos esse o papel que a dra. Tuttle desempenha na minha vida agora, anos depois — o de uma prostituta que me alimenta de canções de ninar. Se algo me faria chorar era a ideia de perder a dra. Tuttle. E se ela perdesse a licença? E se tivesse um piripaque? O que eu faria sem ela? Foi assim que, finalmente, no quarto subterrâneo de Reva, senti uma pontada de tristeza. Podia sentir na garganta, como um osso de galinha preso na traqueia. Eu amava a dra. Tuttle, pensei. Levantei e bebi um pouco de água da torneira do banheiro. Voltei pra cama.

Alguns minutos depois, Reva batia à porta.

"Trouxe uma fatia de quiche", disse. "Posso entrar?"

Reva agora vestia um longo robe vermelho de lã. Ela já tinha feito o cabelo e a maquiagem. Eu ainda estava de toalha, debaixo das cobertas. Peguei a quiche e comi enquanto ela sentava na beira da cama e tagarelava sobre a mãe, sobre como nunca tinha valorizado seu talento artístico. A tarde prometia.

"Ela podia ter sido ótima, sabe? Mas das mulheres da geração dela, só se esperava que fossem mães e ficassem em casa. Ela dedicou a vida toda a mim. Mas suas aquarelas são incríveis. Não acha?"

"Sim, são decentes para uma amadora", eu disse.

"Como foi o banho?"

"Sem sabonete", respondi. "Você encontrou algum sapato que eu possa pegar emprestado?"

"Você devia ir lá em cima para escolher", disse Reva.
"Não mesmo."
"Vai lá e escolhe alguma coisa. Não sei o que você quer."
Me recusei.
"Você vai me fazer voltar lá pra cima?"
"Você disse que me traria algumas opções."
"Não queria mexer no armário dela agora, vai ser muito perturbador. Você não pode fazer isso?"
"Não. Não me sinto confortável pra isso, Reva. Posso ficar aqui e perder o velório, se você quiser."
Coloquei o prato num canto.
"O.k., tudo bem, eu vou", Reva suspirou. "Do que você precisa?"
"Sapato, meia, uma camisa."
"Que tipo de camisa?"
"Preta, acho."
"O.k. Mas, se você não gostar do que eu trouxer, não ponha a culpa em mim."
"Não vou pôr a culpa em você, Reva. Eu não me importo."
"Só não me culpe", repetiu.

Ela levantou deixando um rastro de lanugem vermelha nos lençóis. Saí da cama e fui ver o que havia dentro da sacola da Bloomingdale's. O tailleur era feito de uma seda sintética grossa. O colar não era nenhum que eu usaria. Parece que o Infermiterol estava ali para arruinar o bom gosto que eu geralmente tinha ao escolher minhas coisas, embora o casaco de pele tivesse sido uma aposta interessante. Tinha personalidade. Quantas raposas teriam morrido, me perguntei. E que método de abate eles utilizavam para que o sangue não manchasse as peles? Talvez Ping Xi pudesse responder a essa pergunta, pensei. Que temperatura seria necessária para congelar uma raposa branca viva? Arranquei as etiquetas do sutiã e da calcinha e vesti. Meu pelo pubiano estufou a calcinha. Ficava até engraçado — roupa íntima sexy com um arbusto enorme.

Queria estar com a minha Polaroid para capturar aquela imagem. A leveza despreocupada daquele desejo me surpreendeu e por um momento me senti alegre, para logo em seguida me sentir completamente exausta.

Quando Reva voltou carregando sapatos e camisas e um pacote fechado de meia-calça cor de pele dos anos 80, dei o colar para ela.

"Trouxe uma coisa pra você", eu disse, "pra te compadecer."

Reva largou tudo na cama e abriu a caixa. Seus olhos se encheram de lágrimas — como num filme — e ela me abraçou. Foi um abraço bom. Reva sempre foi boa de abraços. Me senti como um louva-a-deus em seus braços. A lã do seu robe era macia e cheirava a Downy. Tentei me afastar, mas ela me apertou mais forte. Quando enfim me soltou, estava chorando e sorrindo. Ela fungou e riu.

"É lindo. Obrigada. Foi muito fofo. Desculpa", ela disse, limpando o nariz na manga. Ela pôs o colar, puxou a gola do roupão e examinou o pescoço no espelho. Seu sorriso se tornou um pouco forçado. "Sabe, eu acho que você não pode usar 'compadecer' desse jeito. Acho que você pode *se* compadecer de alguém. Mas não pode 'compadecer' alguém."

"Não, Reva. *Eu* não estou te compadecendo. O colar é que está."

"Mas essa não é a palavra certa, eu acho. Você pode se *compadecer* de alguém."

"Não, não pode", eu disse. "De qualquer forma, você sabe o que quero dizer."

"É lindo", disse Reva de novo, dessa vez sem rodeios, tocando o colar. Ela apontou para a bagunça de coisas pretas que havia jogado na cama. "Foi só isso que eu encontrei. Espero que sirva."

Ela tirou o vestido do armário e foi se trocar no banheiro. Eu calcei a meia-calça e vasculhei os sapatos até encontrar um que servia. Do emaranhado de camisas, pesquei uma preta de gola alta. Vesti a camisa, o tailleur. "Você tem uma escova de cabelo pra emprestar?"

Reva abriu a porta do banheiro e me entregou uma escova velha com uma longa alça de madeira. Nas costas da escova havia um ponto todo arranhado. Quando a segurei sob a luz, vi que eram marcas de dentes. Cheirei-a, mas não consegui detectar cheiro de vômito, só o creme de mãos com aroma de coco que ela usava.

"Nunca tinha te visto de tailleur", disse Reva de um jeito um pouco rígido ao sair do banheiro. Seu vestido era justo e com um decote profundo no meio. "Você está bem-arrumada", ela disse. "Cortou o cabelo?"

"Ahã", respondi, devolvendo a escova.

Vestimos nossos casacos e subimos. A sala estava vazia, graças a Deus. Enchi meu copo do McDonald's com mais café enquanto Reva se empanturrava de brócolis cozido na frente da geladeira. Estava nevando novamente.

"Já vou te avisando", disse Reva, enxugando as mãos. "Que eu vou chorar muito."

"Estranho seria se não chorasse", respondi.

"É que eu fico tão feia quando choro. E o Ken disse que viria", ela disse pela segunda vez. "Sei que deveríamos ter esperado até depois do Ano-Novo. Não é que fosse fazer diferença pra minha mãe. Ela já foi cremada."

"Você me disse."

"Vou tentar não chorar tanto assim", disse. "Chorar é o.k. Mas meu rosto fica tão *inchado*." Ela enfiou a mão numa caixa de lenço de papel e sacou uma pilha. "Sabe, por um lado estou feliz que a gente não teve que embalsamá-la. É um troço horroroso. E ela era um saquinho de ossos, de todo modo. Devia ter metade do meu peso. Bem, talvez não exatamente metade, mas era supermagra. Mais magra que a Kate Moss até." Ela enfiou os lenços no bolso do casaco e apagou as luzes.

Fomos até o carro saindo pela porta da cozinha. Havia um freezer num canto da garagem, prateleiras de ferramentas e vasos de flores e botas de esqui, algumas bicicletas velhas, caixas de plástico azuis empilhadas ao longo de uma parede. "Está destrancado", disse Reva, apontando para um pequeno Toyota prateado. "Era o carro da minha mãe. Ontem à noite consegui dar a partida. Espero conseguir de novo agora. Ela não estava dirigindo, obviamente." Lá dentro cheirava a Vick Vaporub. Tinha um bonequinho de urso-polar no painel, uma edição da *New Yorker* e um tubo de creme para as mãos no banco do passageiro. Reva ligou o carro, suspirou, acionou o controle remoto do portão preso ao visor e começou a chorar.

"Viu só? Eu avisei", disse, tirando o maço de lenços do bolso. "Só vou chorar enquanto o carro esquenta. Só um segundo", disse. Ela continuou chorando, tremendo suavemente sob a jaqueta acolchoada.

"Tudo bem, tudo bem", eu disse, entre um gole e outro de café. Já estava profundamente entediada com Reva. Esse seria o fim da nossa amizade, eu pressentia. Logo minha crueldade iria longe demais, e agora que sua mãe tinha morrido, a cabeça de Reva começaria a se livrar de sua bobajada superficial. Ela com certeza retomaria a terapia, perceberia que não tínhamos nenhum bom motivo para continuar amigas e que eu nunca lhe daria o que precisa. Então me mandaria uma longa carta explicando seus ressentimentos, seus erros, como ela precisava me deixar partir para seguir em frente com a vida. Já consigo prever sua frase. "Percebi que a nossa amizade não me serve mais", a linguagem que sua terapeuta teria lhe ensinado, "e isso não é nenhum demérito seu." Mas é claro que seria um demérito meu: eu era a amiga envolvida na amizade que ela estava descrevendo.

Enquanto cruzávamos Farmingdale, escrevi mentalmente uma resposta à sua carta pré-fabricada. "Recebi sua carta", eu começaria. "Ela só confirma o que penso de você desde a faculdade." Tentei pensar na pior coisa que poderia dizer sobre alguém. Qual seria a coisa mais cruel, mais cortante e mais verdadeira? Valia a pena dizer? Reva era inofensiva. Não era má pessoa. Não fez nada pra me machucar. Era eu que estava ali sentada, cheia de nojo, usando os sapatos de sua mãe morta. "Adeus."

No resto do dia, ao longo dos procedimentos na Casa Funerária Solomon Schultz, fiquei ao lado de Reva, mas a observei como que à distância. Comecei a me sentir esquisita — não exatamente culpada, mas de algum modo responsável por seu sofrimento. Era como se ela fosse uma estranha que eu tivesse atropelado, e cuja morte eu agora esperava para que ela não fosse capaz de me identificar. Quando ela falava alguma coisa, era como se eu estivesse assistindo um filme. "É o Ken, ali. Viu a mulher dele?" A câmera passava pelas fileiras, fechando o quadro em uma mulher bonita e meio asiática com sardas, usando uma boina preta. "Não quero que ele me veja assim. Por que eu o convidei? Não sei onde estava com a cabeça."

"Não se preocupe com isso", era tudo o que eu conseguia pensar em dizer. "Ele não vai te demitir por estar triste num velório."

Reva fungou e balançou a cabeça, enxugou os olhos com o lenço. "Essa é a amiga da minha mãe de Cleveland", ela disse quando uma mulher obesa vestindo uma túnica preta subiu no tablado. A mulher cantou "On My Own", de *Les Misérables*, à capela. Foi uma cena dolorosa de ver. Reva chorou e chorou. Lenços e mais lenços manchados de rímel se avolumavam em seu colo como testes de borrões de tinta. Umas doze pessoas subiram para dizer coisas boas sobre a mãe de Reva. Alguns fizeram piadas, outros desabaram no choro sem a menor vergonha. Todos concordaram que a mãe de Reva tinha sido uma boa mulher, que sua morte era uma coisa triste, mas que a vida era misteriosa, a morte ainda mais, e de que adiantava especular, então devemos nos lembrar dos bons tempos — pelo menos ela havia vivido, tinha sido corajosa, generosa, uma boa mãe e esposa, uma boa cozinheira e uma boa jardineira. "Tudo o que minha mulher queria era que superássemos isso logo e fôssemos felizes", disse o pai de Reva. "Todos já disseram tanto sobre ela." Ele encarou a multidão, encolheu os ombros e, em seguida, pareceu desconcertado, ficou vermelho, mas, em vez de explodir em lágrimas, começou a tossir no microfone. Reva tapou os ouvidos. Alguém levou um copo d'água e o acompanhou a seu assento.

Então chegou a vez de Reva falar. Ela conferiu a maquiagem no espelhinho compacto, passou uma camada de pó no nariz, enxugou os olhos com mais lenços, subiu no púlpito e começou a ler o que havia escrito em uma série de cartões de fichamento, indo e voltando nos cartões enquanto fungava e chorava. Tudo o que saía da sua boca parecia lido de um cartão da Unicef. No meio do discurso, ela fez uma pausa e me encarou como que em busca de aprovação. Eu fiz um sinal de positivo. "Ela era uma mulher de muitos talentos", disse Reva, "e me inspirou a seguir meu próprio caminho." Continuou por um tempo, mencionando as aquarelas, a fé em Deus. Em seguida, pareceu se perder. "Pra ser honesta", recomeçou. "É como se... Vocês sabem..." Ela sorriu, pediu desculpas, cobriu o rosto com as mãos e sentou ao meu lado.

"Fiz papel de idiota?", sussurrou.

Sacudi a cabeça negativamente, coloquei o braço no seu ombro do modo mais desajeitado que isso poderia ter sido feito e fiquei ali até o velório acabar, com aquela jovem estranha em meio a uma crise de desespero, tremendo no meu sovaco.

A recepção que se seguiu foi na casa de Reva. As mesmas mulheres de meia-idade estavam lá, os mesmos homens calvos, só que multiplicados. Quando entramos, ninguém pareceu notar.

"Estou morrendo de fome", disse Reva, indo direto para a cozinha. Marchei de volta ao porão e caí numa espécie de meio sono.

Pensei nesse impulso subliminar qualquer que me enfiou no trem para Farmingdale. Ver Reva em seu estado natural me encantou e me enojou ao mesmo tempo. Sua repressão, sua denegação evidente, suas infrutíferas tentativas de compartilhar sua dor comigo no carro, tudo isso me trouxe algum tipo de satisfação. Ela aplacou uma comichão que eu, sozinha, não conseguia aplacar. Observar Reva pegar o que havia de profundo e real e doloroso e arruinar tudo ao expressar isso com uma precisão tão trivial me dava motivos para pensar que ela era uma idiota e que, portanto, eu poderia relevar sua dor e, com isso, a minha. Reva era como os remédios que eu tomava. Eles transformavam tudo, até mesmo o ódio, até mesmo o amor, em uma névoa que eu conseguia dispersar. E era exatamente isso que eu queria — minhas emoções passando como faróis de carro que brilham suavemente através de uma janela, passando por mim, iluminando algo vagamente familiar e em seguida desaparecendo, me deixando mais uma vez no escuro.

Acordei brevemente ao som da água da torneira e de Reva vomitando no banheiro. Era uma música ritmada e violenta — grunhidos de garganta pontuados por jatos e mais jatos. Ela terminou, deu descarga três vezes, fechou a torneira e subiu a escada. Fiquei acordada na cama esperando passar um tempo razoável. Não queria que Reva pensasse que eu tinha ouvido. Esse gesto de discrição era o único conforto real que eu me sentia capaz de lhe dar.

Finalmente levantei, juntei minhas coisas e subi para chamar um táxi que me levasse à estação de trem. A maioria dos convidados já tinha ido embora. A formação original de homens carecas estava na varanda da cozinha. A neve caía forte. Na sala de estar, as mulheres recolhiam pratos e canecas da mesa de centro. Encontrei Reva sentada no sofá, comendo um saco de ervilhas congeladas em frente à televisão muda.

"Posso usar o telefone?", perguntei.

"Eu levo você de volta até Nova York", disse Reva calmamente.

"Mas, Reva, você acha seguro?", perguntou uma das mulheres.

"Vou devagar", ela disse e se levantou, deixando o saco de ervilhas na mesinha de centro e pegando meu braço. "Vamos antes que meu pai tente me proibir."

Reva foi à cozinha e pegou o buquê de rosas brancas que estava na pia, no meio de um monte de pratos sujos. O embrulho continuava intacto. "Pegue algumas", ela disse, apontando com as rosas para as garrafas de vinho no balcão. Peguei três. As mulheres ficaram olhando. Meti as garrafas na sacola de papel, sobre meu jeans, minha blusa e meu tênis sujo.

"Já volto", disse Reva, e partiu pelo corredor escuro.

"Você é a amiga da faculdade de Reva?", perguntou uma mulher da cozinha. Enquanto falava comigo, ela tirava os pratos da lava-louça. "Que bom que vocês têm uma a outra. Quem tem amigos nunca está sozinho." O vapor preencheu o ar ao seu redor. Ela era exatamente como eu imaginava que a mãe de Reva seria. Cabelo castanho e curto. Brincos grandes de pérolas falsas. Vestido marrom-escuro com detalhes dourados. Comprido, apertado. Dava pra ver a celulite da perna através do tecido. O vapor da lava-louça cheirava a vômito. Dei um passo para trás. "A mãe de Reva era a minha melhor amiga", ela continuou. "A gente se falava todos os dias pelo telefone. Nem com meus filhos eu falo tanto assim. Às vezes os amigos são melhores do que a família porque você pode dizer qualquer coisa. Ninguém fica bravo. É um tipo diferente de amor.

Vou sentir muita falta dela." Ela fez uma pausa enquanto olhava para um armário. "Mas ela ainda está aqui em espírito. Sinto isso. Está bem aqui, dizendo: 'Debra, os copos altos vão para a prateleira junto com as taças de vinho'. Ela está mandando em mim, como sempre. Sei disso. O espírito nunca morre, essa é a verdade."

"Isso é bom", respondi, bocejando. "Sinto muito pela sua perda."

Reva apareceu vestindo um enorme casaco de castor — sem dúvida de sua mãe —, grandes botas de neve e sua bolsa de ginástica pendurada no ombro.

"Vamos", disse bruscamente. "Estou pronta." Fomos para a porta da garagem. "Digam a meu pai que ligo amanhã", disse às mulheres na sala de estar. Elas começaram a protestar, mas Reva continuou andando. Eu a segui de volta para o carro de sua mãe.

No caminho de volta, Reva e eu não conversamos muito. Antes de pegar a estrada, sugeri que parássemos para um café, mas ela não respondeu. Ligou o rádio, regulou o aquecimento no máximo. Seu rosto estava tenso e sério, porém calmo. Fiquei surpresa com minha curiosidade em saber no que ela estaria pensando, mas permaneci quieta. Quando entramos na Long Island Expressway, o locutor da rádio pediu aos ouvintes que ligassem para falar de suas resoluções de Ano-Novo.

"*Em 2001, quero abraçar todas as oportunidades. Quero dizer 'sim' a todos os convites que recebo.*"

"*Dois mil e um é o ano em que finalmente aprenderei a dançar tango.*"

"Não vou fazer nenhuma resolução este ano", disse Reva. Ela baixou o volume do rádio e mudou de estação. "Nunca consigo cumprir minhas promessas comigo mesma. Sou minha pior inimiga. E você?"

"Eu podia tentar parar de fumar. Mas fica difícil com os remédios."

"Ahã", ela disse sem pensar. "Quem sabe eu tente perder uns dois quilos." Não sei dizer se ela estava sendo sarcástica ou se falava sério. Deixei pra lá.

A visibilidade estava ruim. Os limpadores do para-brisa guinchavam, levando consigo manchas molhadas de neve. No Queens, Reva ligou o rádio de novo e começou a cantar. Santana. Marc Anthony. Enrique Iglesias. Depois de um tempo, comecei a me perguntar se ela não estava bêbada. Talvez morrêssemos num acidente de carro, pensei. Inclinei minha testa contra o vidro frio da janela e olhei para a água escura do East River. Morrer não seria tão ruim assim, pensei. O fluxo dos carros ficou mais lento.

Reva desligou o rádio.

"Posso dormir na sua casa?", ela perguntou, formal. "Não quero dar uma de carente, mas estou com medo de ficar sozinha agora. Me sinto estranha e tenho medo de que algo ruim aconteça."

"Tudo bem", respondi, embora achasse que ela mudaria de ideia logo após a meia-noite.

"Podemos ver um filme", ela disse. "O que você quiser. Ei, pode pegar meu chiclete na bolsa? Não quero tirar a mão do volante."

A Gucci falsificada estava no console, entre nós duas. Vasculhei em meio a absorventes e perfumes e frasquinhos de álcool gel e seu nécessaire de maquiagem e edições da *Cosmopolitan* e da *Marie Claire* enroladas e uma escova de cabelo e a escova de dente e a pasta de dente e sua enorme carteira e o celular, a agenda, seus óculos de sol e finalmente encontrei um único chiclete de canela no bolsinho lateral, que além dele só tinha um monte de bilhetes de metrô velhos. O papel já tinha ficado rosa e oleoso.

"Quer dividir?", perguntou.

"Que nojo", respondi. "Não."

Reva estendeu a mão. Observei-a, seus olhos fixos na estrada. Talvez não estivesse bêbada, pensei, só exausta. Botei o chiclete na palma da mão dela. Reva o desembrulhou e o enfiou na boca, jogou o papelzinho por cima do ombro, começou a mascar e continuou dirigindo. Olhei o East River mais uma vez, negro e brilhante com as luzes amarelas da cidade. O trânsito estava parado. Pensei no meu apartamento. Fazia dias que eu não dava as caras por lá — pelo menos não acordada. Imaginei a bagunça que Reva e eu encontraríamos quando entrássemos. Torci para que ela não comentasse. Não achei que seria capaz, considerando o dia.

"Sempre penso em terremotos quando estou nesta ponte", disse Reva. "Como aquela ponte que desmoronou em San Francisco, sabe?"

"Aqui é Nova York", respondi. "Não temos terremotos."

"Eu estava assistindo World Series quando aconteceu", ela disse. "Com meu pai. Lembro bem disso. Você lembra?"

"Não", menti. É claro que lembrava, mas eu não pensei a respeito.

"Você está vendo um jogo de beisebol e, de repente, bum. Do nada, milhares de pessoas morrem."

"Não foram milhares."

"Mas muitas."

"Talvez algumas centenas, no máximo."

"Um monte de gente foi esmagada naquela via. E naquela ponte", Reva insistiu.

"Tá bom, Reva", disse. Só não queria que ela chorasse de novo.

"E, no dia seguinte, no noticiário, entrevistaram um cara que estava na pista de baixo e ficaram, tipo: 'o que você levará dessa experiência?'. Ele virou e disse: 'Quando saí do carro, havia um cérebro chacoalhando no chão. Um cérebro inteiro, tremendo feito gelatina?"

"Pessoas morrem o tempo todo, Reva."

"Mas isso não é simplesmente horrível? Um cérebro tremendo no chão feito gelatina?"

"Parece mentira do cara."

"E o locutor ficou em silêncio. Sem palavras. Então o cara diz: '*Você* que quis saber. Você *perguntou*. Só estou contando. Foi o que eu vi'."

"Para com isso, Reva. Por favor."

"Não tô falando que isso aconteceria aqui."

"Isso não aconteceu em lugar nenhum. Cérebros não saem da cabeça das pessoas e ficam chacoalhando."

"Acho que teve tremores secundários."

Aumentei o volume do rádio e abri minha janela.

"Mas você entende o que quero dizer? As coisas poderiam ser piores", gritou Reva.

"As coisas sempre podem ser piores", gritei de volta e fechei a janela.

"Eu sou muito prudente dirigindo", ela disse.

Ficamos em silêncio durante o resto da viagem, o cheiro do chiclete de canela impregnando o carro. Me arrependi de ter deixado ela dormir em casa. Finalmente atravessamos a ponte e pegamos a Franklin D. Roosevelt East River. A pista estava lamacenta. O trânsito estava muito lento. Já eram dez e meia quando chegamos no meu quarteirão. Demos sorte de encontrar uma vaga bem na frente do bar.

"Só quero pegar umas coisas", disse a Reva. Ela não protestou. Lá dentro, os egípcios jogavam cartas atrás do balcão. Garrafas de champanhe barato haviam sido dispostas sobre uma pilha de caixas de cerveja e refrigerante. Observei Reva olhar as garrafas, depois abrir o congelador, se inclinar para a frente e lutar para escavar algo preso no gelo. Peguei meus dois cafés.

Reva pagou.

"É sua irmã?", o egípcio perguntou a Reva, apontando na minha direção enquanto eu tomava o meu primeiro café. Estava extremamente quente e o leite em pó que acrescentei tinha criado pelotas que ficaram presas no meu dente. Não liguei.

"Não, é minha *amiga*", respondeu Reva com alguma hostilidade. "Você acha que a gente se parece?"

"Podiam ser irmãs", disse o egípcio.

"Obrigada", disse Reva secamente.

Quando chegamos ao meu prédio na rua 84 Leste, o porteiro abaixou o jornal para dizer "Feliz Ano-Novo".

No elevador, Reva disse:

"Esses caras na loja da esquina não te olham de um jeito estranho?"

"Não seja preconceituosa."

Reva segurou meus cafés enquanto eu abria a porta. Lá dentro, a televisão estava sem som e exibia grandes seios nus.

"Preciso fazer xixi", ela disse, largando a bolsa de ginástica. "Pensei que você odiasse pornô."

Cheirei o ar em busca de vestígios de algo constrangedor, mas a casa não cheirava a nada. Encontrei uma doxepina perdida no balcão da cozinha e engoli.

"Seu celular está flutuando na banheira dentro de um Tupperware", gritou Reva do banheiro.

"Eu sei", menti.

Sentamos no sofá, eu com meu segundo café e meu frasco de Infermiterol, Reva com seu iogurte desnatado de morango. Vimos o filme pornô até o fim em completo silêncio. Depois de um dia meditando sobre a morte, ver gente transando vinha a calhar. "Procriação", pensei. "O círculo da vida." Durante a cena de boquete, levantei e fui fazer xixi. Durante a cena da chupada de boceta, Reva se levantou e vomitou, suponho. Depois foi atrás de um saca-rolhas na cozinha, abriu um dos vinhos do velório, voltou para o sofá e sentou. Ficamos revezando a garrafa e assistimos o cara ejaculando na cara da menina. Gotas de esperma ficaram presas nos cílios postiços dela. Pensei em Trevor e em todos os seus jatos e respingos nas minhas costas e na minha barriga. Quando a gente transava na sua casa, ele terminava e corria imediatamente atrás de um rolo de papel-toalha, segurando a lata de lixo enquanto eu me limpava. "O lençol..." Ele nunca gozou dentro de mim, nem quando eu tomava pílula. Seu negócio era foder minha boca enquanto eu deitava de costas e fingia dormir, como se não notasse um pênis batendo no fundo da minha goela.

Os créditos rolaram. Outro filme pornô começou. Reva encontrou o controle remoto e ligou o som.

Abri o frasco de Infermiterol e peguei um, que engoli com o vinho.

Lembro de ter ouvido o diálogo forçado da abertura — a garota fazia o papel de uma fisioterapeuta, o cara de um jogador de futebol com uma dor na virilha. Reva chorou por um tempo. Quando a sacanagem começou, ela baixou o volume e me contou sobre seu réveillon do ano anterior. "Não estava com vontade de ir a uma festa de casais, sabe? Todo mundo se beijando à meia-noite. Ken estava sendo um idiota, mas encontrei com ele umas três da manhã no Howard Johnson, na Times Square." Fiquei feliz ao notar a embriaguez na sua voz. Tirou um pouco da tensão do ambiente. Na tela, alguém bateu na porta. A sacanagem não parava. Eu ia e voltava do sono. Reva continuava falando.

"E o Ken estava... Essa foi a primeira vez que... Contei pra minha mãe... Ela me disse pra fingir que não tinha acontecido... Estou louca?"

"Uau", eu disse, apontando para a tela. Uma garota negra entrara em cena com um uniforme de líder de torcida. "Você acha que é a namorada ciumenta dele?"

"O que está acontecendo aqui?" A líder de torcida perguntou, deixando cair seus pompons.

"Sabia que você é minha única amiga solteira?", Reva disse. "Queria ter uma irmã mais velha. Alguém que pudesse me apresentar a alguém. Talvez eu peça dinheiro ao meu pai pra pagar um casamenteiro."

"Não tem nenhum homem pelo qual valha a pena pagar."

"Vou pensar sobre isso", respondeu Reva.

Àquela altura eu já estava em meio a uma névoa, meus olhos só abriam uma fresta através da qual vi a garota negra abrir os lábios de sua vagina com unhas longas, afiadas e rosadas. Seu interior brilhava. Pensei em Whoopi Goldberg. Lembro disso. Lembro de Reva depositando a garrafa de vinho vazia na mesinha de centro. E lembro de ouvi-la dizer "Feliz Ano-Novo" e me dar um beijo no rosto. Senti que flutuava cada vez mais alto e mais distante em direção ao éter até que meu corpo era apenas uma história, um símbolo, um retrato pendurado em outro mundo.

"Te amo, Reva", me ouvi dizer de tão longe. "Eu realmente sinto muito sobre sua mãe."

Então eu já tinha ido embora.

Cinco

Acordei sozinha no sofá alguns dias depois. O ar cheirava a fumaça e perfume. A TV ligada no volume baixo. Minha língua estava áspera e arenosa, como se eu tivesse sujeira na boca. Ouvi o boletim meteorológico internacional: enchentes na Índia, um terremoto na Guatemala, outra nevasca se aproximando do nordeste dos Estados Unidos, incêndios queimando casas de milhões de dólares no sul da Califórnia, "mas o céu estará ensolarado hoje na capital, quando Yasser Arafat visitará a Casa Branca para uma rodada de conversas com o presidente Bill Clinton com o objetivo de reabrir o processo de paz no Oriente Médio. Mais sobre o assunto a seguir".

Abri os olhos. A sala estava escura, as persianas abaixadas. À medida que me levantava, erguendo lentamente a cabeça do braço do sofá, o sangue ia sendo drenado do cérebro feito areia numa ampulheta. Minha visão ficou pixelizada, reticulada, depois borrada, depois retomou o foco. Olhei meus pés. Calçava os sapatos da mãe morta da Reva, o sal tendo desenhado paisagens marinhas no bico de couro. Tinha meias arrastão bege. Abri o cinto do casaco de pele branco e descobri que tudo o que eu estava usando por baixo era um maiô bege. Olhei para a virilha. Meus pelos pubianos haviam sido depilados recentemente. Uma depilação bem-feita — minha pele não estava nem vermelha nem pinicando nem irritada. As unhas da mão, reparei, estavam pintadas estilo francesinha. Sentia o cheiro do meu próprio suor. Cheirava a gim. Cheirava a vinagre. Um carimbo nas costas da mão indicava que eu tinha ido a uma balada chamada Dawn's Early. Nunca tinha ouvido falar desse lugar. Sentei e fechei os olhos e tentei me recordar da noite anterior. Tudo um negror, vazio. "Vamos dar uma olhada na previsão de neve para a região metropolitana de Nova York." Abri os olhos. O meteorologista da TV parecia o Rick Moranis negro. Ele apontou para uma nuvem branca de desenho animado. "Feliz Ano-Novo, Reva", lembrei de ter dito. Isso foi tudo o que consegui lembrar.

Na mesa de centro, fôrmas de gelo vazias e uma garrafa cheia de água destilada, outra de gim Gordon e uma página arrancada de um livro chamado *A arte da felicidade*. Reva tinha me dado de aniversário fazia alguns anos dizendo que eu "aprenderia muito com as ideias do dalai-lama. Ele é realmente perspicaz". Nunca li o livro. Na página rasgada, uma única linha tinha sido sublinhada em caneta esferográfica azul: "Isso não acontece da noite para o dia", dizia. Deduzi que tinha esmagado Frontal com o cabo de uma faca de açougueiro e cheirado o comprimido com um rolinho feito com o panfleto de uma casa noturna na Hester Street chamada Portnoy's Porthole que anunciava uma noite de microfone aberto ao público. Nunca tinha ouvido falar naquilo. Dúzias de polaroides espalhadas entre minhas fitas de vídeo e suas caixas vazias mostravam que minhas atividades sonâmbulas não tinham passado em branco, embora eu não tivesse visto minha câmera em parte alguma.

As fotos eram de gente bonita da noite — jovens desconhecidos fazendo caras e bocas sexy e pretensiosas. Meninas de batom escuro, meninos com pupilas vermelhas, alguns pegos desprevenidos pelo flash branco e intenso da minha câmera, outros fazendo poses fashionistas ou simplesmente erguendo uma sobrancelha ou abrindo um sorriso largo e fingido. Algumas fotos pareciam ter sido tiradas à noite, numa rua do centro da cidade. Outras num lugar fechado e escuro de pé-direito baixo com as paredes cheias de falsos grafites em tinta fluorescente. Não reconheci ninguém nas fotos. Numa delas, um grupo de seis clubbers mostrava o dedo para a foto. Em outra, uma ruiva magricela exibia os seios com tapa-mamilos cor de lavanda. Um gordinho negro de chapéu fedora e camiseta com estampa de smoking fazia anéis de fumaça. Dois gêmeos à la Elvis na fase magro de heroína vestiam desengonçados ternos de lamê dourado e davam um "toca aqui" em frente a uma cópia ordinária de Basquiat. Uma garota segurava um rato com uma correia presa a uma corrente de bicicleta que ela trazia no pescoço. Um close-up mostrava uma língua rosa pálida cortada ao meio para parecer uma cobra e perfurada dos dois lados com grandes diamantes. Havia uma série de fotos tiradas no que supus que fosse a fila do banheiro. O lugar inteiro parecia uma espécie de rave artística.

"Há previsão de fechamento de rodovias, ventos fortes, enchentes costeiras", dizia o meteorologista. Pesquei o controle remoto do meio das almofadas do sofá e desliguei a TV.

Uma foto caiu debaixo da mesinha de centro. Peguei e a virei. Um homem asiático franzino em pé, isolado da multidão que se aglomerava no bar. Ele usava um macacão azul salpicado de tinta. Olhei mais de perto. O cara tinha um rosto redondo repleto de cicatrizes avermelhadas de acne. Seus olhos estavam fechados. Parecia familiar. Então reconheci. Era Ping Xi. Havia um traço de glitter rosa em seu rosto. Deixei a foto de lado.

Fazia meses que eu nem sequer pensava em Ping Xi. Sempre que a Ducat surgia na minha mente, eu procurava focar a atenção na lembrança da longa caminhada até a estação de metrô da rua, do trem expresso para a Union Square, da linha L para o outro lado da cidade, da subida da Oitava Avenida, depois a virada à esquerda na rua 23, do meu andar por velhos paralelepípedos, desajeitado e de salto alto. A lembrança da geografia de Manhattan parecia valer a pena. Já os nomes e detalhes das pessoas que conheci no Chelsea, eu preferia esquecer. O mundo da arte acabou se mostrando parecido com o mercado de ações: um reflexo de tendências políticas e convicções do capitalismo movido pela ganância, por fofoca e cocaína. Eu bem que podia ter trabalhado em Wall Street, teria dado na mesma. Especulação e opiniões guiavam não só o mercado como também os produtos e, infelizmente, os valores, que dependiam não da inefável qualidade da arte enquanto ritual humano sagrado — um valor que de qualquer forma é impossível medir —, mas do que um bando de idiotas ricos achava que "elevaria" seus portfólios e inspiraria inveja e, delirantes como eram, lhes traria respeito. Eu ficava bem feliz de ter tirado todo aquele lixo da minha cabeça.

Nunca tinha ido àquele tipo de festa retratado nas polaroides, mas vi aquilo tudo de longe: gente jovem, bonita e fascinante chamando táxis e acendendo cigarros, cocaína, rímel, as maravilhas de uma noitada no centro, sexo casual no banheiro como coisa banal, o ir e vir da pista de dança, os gritos com o garçom ao pedir uma bebida em meio a toda aquela confusão, todos em busca do êxtase e do sonho de um amanhã no qual se divertiriam ainda mais, se sentiriam ainda mais bonitos, estariam cercados de gente ainda mais interessante. Sempre preferi um bar de hotel asséptico, talvez porque era onde Trevor gostava de me levar. Nós dois concordávamos que as pessoas pareciam ridículas quando estavam "se divertindo".

Os estagiários da galeria me contavam sobre seus fins de semana na Tunnel e na Life e na Sound Factory e no Spa e na Lotus e no Centro-Fly e no Luke + Leroy, de modo que eu tinha um pouco de noção do que era a vida noturna da cidade. E, como assistente de Natasha, eu era responsável por manter uma lista com algumas das pessoas mais socialmente valiosas para convidar para uma festa do meio artístico — especificamente os jovens produtores e seus assistentes. Ela os convidava para os vernissages e me mandava estudar suas biografias. O pai de Maggie Kahpour possuía a maior coleção particular de rascunhos de Picasso do mundo, e quando ele morreu ela os doou para uma abadia no sul da França. Os monges batizaram um queijo em sua homenagem. Gwen Elbaz-Burke era sobrinha-neta de Ken Burke, artista performático que foi devorado pelo tubarão que mantinha em sua piscina, e filha de Zara Ali Elbaz, uma princesa síria exilada por ter feito um filme pornográfico com seu namorado alemão, que era descendente de Heinrich Himmler. Stacey Bloom havia começado uma revista chamada *Kun(s)t*, dedicada a "mulheres nas artes", sobretudo a perfis de garotas ricas da noite e do métier artístico que lançavam suas próprias coleções de roupa ou que abriam galerias ou casas noturnas ou que estrelavam filmes indie. O pai dela era presidente do Citibank. Zaza Nakazawa era uma herdeira de dezenove anos que escreveu um livro sobre o caso que mantinha com a tia, a pintora Elaine Meeks. Eugenie Pratt era meia-irmã do documentarista e arquiteto Emilio Wolford, que a fez comer o coração cru de um cordeiro na frente das câmeras quando Pratt tinha doze anos. Também tinha Claudia Martini-Richards. Jane Swarovski-Kahn. Pepper Jacobin-Sills. Kylie Jensen. Nell "Nikita" Patrick. Patsy Weinberger. Talvez essas fossem as garotas que apareciam nas minhas fotos. Eu não teria reconhecido nenhuma delas fora da galeria. Imogene Behrman. Odette Quincy Adams. Kitty Cavalli. Eu lembrava dos nomes. Se Ping Xi estava lá, presumivelmente entre os habitués, é porque Dawn's Early devia ser um novo *after-hours club* da próxima geração dos rapazes ricos e futuros mecenas. Eu lembrava vagamente de ter ouvido Natasha dizer que ele tinha ido para um internato com dois irmãos gêmeos gays da Prússia. Mas como o encontrei? Ou ele me encontrou?

Recolhi as fotos, enfiei o maço debaixo da almofada do sofá e levantei e fui para o quarto, para me certificar de que não havia ninguém ali. Toda a minha roupa de cama estava empilhada no chão, o colchão estava nu. Me aproximei para conferir se não tinha nenhuma mancha de sangue do tamanho de um boi, ninguém embrulhado nos lençóis, nenhum cadáver debaixo da cama. Abri o armário e não encontrei ninguém amarrado e amordaçado. Só as sacolinhas plásticas com lingeries da Victoria's Secret caíram lá de dentro. Não havia nada errado. Eu estava sozinha.

De volta à sala de estar, meu telefone jazia no peitoril da janela ao lado de um único pé de tênis que usei como cinzeiro. Afastei uma ripa da persiana para espiar pela janela. A neve já começava a cair. Isso era bom, pensei — ficaria em casa durante a nevasca e dormiria pesado. Voltaria ao meu antigo ritmo, aos meus rituais diários. Precisava da estabilidade da minha rotina de sempre. E não tomaria mais o Infermiterol, pelo menos por um tempo. Ele atuava contra o meu objetivo de não fazer nada. Botei o telefone no carregador e joguei o tênis na cozinha. O lixo estava cheio de cascas de tangerina e embalagens de plástico de fatias de queijo em porções individuais que eu não conseguia lembrar de ter comprado ou comido. A geladeira tinha apenas um pequeno engradado de madeira clara que embalava as tangerinas e uma segunda garrafa de água destilada.

Tirei o casaco de pele branco, o maiô e a meia-calça arrastão e fui tomar uma chuveirada quente. As unhas dos meus pés estavam pintadas de lilás, as solas antes calejadas estavam suaves e macias. Usei o vaso e vi uma veia pulsar na minha coxa. O que eu tinha feito? Passei o dia num spa e a noite na balada? Parecia absurdo. Reva me convenceu a ir "me divertir" ou alguma idiotice do tipo? Fiz xixi e quando me limpei senti uma coisa viscosa. Pelo visto eu tinha ficado excitada pouco antes. Quem teria me deixado excitada? Não lembrava de nada. Uma onda de náusea me fez cambalear e regurgitar um glóbulo acre de catarro que cuspi na pia. Pela sensação arenosa na boca, eu esperava ver grânulos de sujeira ou partículas de pílula esmagada salpicando minha saliva. Em vez disso, vi glitter rosa. Abri o armarinho de remédios e tomei dois Valiums e dois Loraxs. Engoli com água da torneira. Quando me aprumei, alguém apareceu no espelho como que por uma escotilha, me assustei. Minha própria cara assustada me assustou. O rímel borrava meu rosto como uma máscara de Carnaval. Vestígios de batom cor-de-rosa brilhante manchavam os cantos dos lábios. Escovei os dentes e fiz o que pude para tirar a maquiagem. Encarei o espelho novamente. Rugas na testa e linhas ao redor da boca pareciam ter sido desenhadas a lápis. Minha bochecha estava flácida. A pele estava pálida. Algo reluziu no brilho dos meus olhos. Me aproximei do espelho e examinei com muito cuidado. Lá estava eu, um pequeno reflexo sombrio de mim mesma no fundo da minha pupila direita. Certa vez alguém disse que as pupilas eram apenas espaços vazios, buracos negros, cavernas idênticas de um nada infinito. "Quando algo desaparece, geralmente é por aí que desaparece — pelos buracos negros em nossos olhos." Não conseguia lembrar quem havia dito isso. Assisti meu reflexo desaparecer com o vapor.

No chuveiro, me veio uma lembrança do ensino fundamental: um policial que visitou nossa sala no sétimo ano para nos alertar sobre os perigos das drogas. Ele pendurou um gráfico que mostrava todas as drogas ilícitas da civilização ocidental e apontava para cada uma delas — um montinho de pó branco, cristais turvos amarelados, pílulas azuis, comprimidos rosa, comprimidos amarelos, alcatrão preto. Sob cada um deles estava o nome e os apelidos da droga. Heroína: açúcar mascavo, águia negra, brown sugar, cacau, cavalo, cavalete, chnouk, big H, heroa, pérola negra. "Essa dá o efeito X, essa dá o efeito Y." O policial tinha algum problema que dificultava a modulação do volume da voz. "Cocaína! Metanfetamina! Psilocibina! PCP!", ele gritava, então, de repente, baixava a voz para apontar para o Rohypnol. "Boa noite Cinderela, droga do estupro, pílula do me esqueça, R2, roche, roofie." Era quase inaudível. Em seguida gritava novamente. "É por isso que você não deve aceitar bebidas de estranhos! Meninas! Nunca deixem uma amiga sozinha em uma festa! A única coisa boa é que a vítima esquece!" Ele parou para recuperar o fôlego. Era um loiro suado com um corpo em forma de V, como o super-homem. "Mas não é viciante", disse casualmente, depois se voltou para o gráfico.

A lembrança dessa cena da adolescência como se tivesse ocorrido na véspera era a prova de que minha memória continuava intacta. Mesmo assim eu não tinha nenhuma recordação do que havia acontecido sob o efeito do Infermiterol. Haveria outros buracos? Eu achava que sim. Comecei a me testar: quem assinou a Carta Magna? Qual é a altura da Estátua da Liberdade? Quando o Movimento Nazareno se deu? Quem atirou em Andy Warhol? As perguntas por si só provavam que minha mente continuava afiada. Eu sabia meu número de identidade de cor. Bill Clinton era o presidente, mas não por muito tempo. Na verdade, minha mente estava mais rápida, os pensamentos mais ligeiros e certeiros do que antes. Lembrava de coisas que havia anos não me ocorriam: de um dia no último ano da faculdade quando meu salto quebrou no caminho da aula de "Teorias Feministas e Práticas da Arte, 1960-90" e entrei atrasada, mancando e chateada, e a professora apontou pra mim e disse: "Estávamos agora mesmo discutindo a performance artística enquanto desconstrução política da arte como indústria comercial". Ela pediu que eu ficasse de pé no tablado, meu pé esquerdo arqueado como o de uma Barbie, e a turma analisou isso como uma performance.

"Não consigo abstrair que estamos numa aula de história da arte", disse uma garota da Barnard.

"São tantas camadas conflitantes de significado, é maravilhoso", disse o professor assistente barbudinho.

E então, só para me humilhar, a professora, uma mulher de cabelo comprido e oleoso, com bijuterias grosseiras de prata, perguntou quanto eu tinha dado por aqueles sapatos. Era uma bota de camurça preta de bico fino de quase quinhentos dólares, uma das muitas compras que eu havia feito para mitigar a dor de ter perdido meus pais ou o que quer que estivesse sentindo. Eu lembrava disso tudo, de cada rosto perplexo e compenetrado naquela sala de aula. Uma idiota disse que eu estava "submetida ao desejo masculino". O tique-taque do relógio enquanto a turma me avaliava. "Acho que já deu", disse a professora, finalmente, e fui autorizada a voltar à minha mesa. Por trás da janela da sala, grandes folhas amarelas caíam de uma única árvore sobre o concreto cinza. Abandonei essa disciplina, tive de explicar ao meu orientador que queria me concentrar no neoclassicismo e troquei por uma matéria chamada "Jacques-Louis David: Arte, Virtude e Revolução". *A morte de Marat* era uma das minhas pinturas favoritas. Um homem esfaqueado até a morte dentro da banheira.

Saí do banho, peguei um Stilnox e dois Fenergans, enrolei uma toalha mofada nos ombros e voltei para a sala para conferir o celular, já carregado o suficiente para que eu pudesse ligá-lo. No histórico de chamadas, vi que os números que eu tinha discado eram o de Trevor e de um telefone não identificado com DDD 646 que presumi ser de Ping Xi. Apaguei o número e tomei um Risperdal, peguei uma blusa cinza de tricô e uma legging de uma pilha de roupa suja no corredor, vesti o casaco de pele, enfiei os pés num chinelo e procurei minhas chaves. Estavam na fechadura, do lado de fora.

Era meio da tarde, supus ao perceber que as nuvens se amontoavam feito lençóis amassados. No saguão, ignorei os conselhos de cautela do porteiro em relação à tempestade e segui o caminho pra cima e pra baixo que desaparecia serpenteando os montinhos de neve escavados da calçada e empilhados sobre o meio-fio. Tudo estava silencioso, mas o ar se mostrava furioso e úmido. Um floco a mais e a cidade inteira estaria coberta de neve. Na esquina, passei por um lulu-da-pomerânia com sua babá e o observei levantar a perna e mijar num pedaço de gelo vítreo e plano na calçada, ouvi a chamuscada de algo quente derretendo, o vapor se espalhando numa bolha contida por um momento e depois se dissipando.

Os egípcios não me fizeram nenhum cumprimento especial quando entrei no bar. Apenas assentiram como de hábito e se voltaram para seus celulares. Era um bom sinal, pensei. O que quer que eu tivesse feito sob efeito do Infermiterol, com quem quer que tivesse farreado e fosse lá quão grave tivesse sido minha esbórnia, pelo menos não me comportei mal o suficiente no bar a ponto de requerer atenção especial. Em suma, eu não tinha cuspido no prato que comia, como diz o ditado. Saquei dinheiro no caixa eletrônico, encomendei meus dois cafés, misturei o leite e o açúcar, depois peguei uma fatia de pão de banana, um copo de iogurte orgânico e uma pera dura feito pedra. Três meninas da Brearley em trajes de educação física formavam uma fila no balcão. Espiei os jornais enquanto esperava para pagar. Parece que não estava acontecendo nada que mudasse os rumos do planeta. Strom Thurmond deu um abraço em Hillary Clinton. Um bando de lobos foi avistado em Washington Heights.

Nigerianos contrabandeados para a Líbia podem aparecer lavando pratos em seu bistrô favorito no centro da cidade. Giuliani disse que xingar um policial deveria ser crime. Era 3 de janeiro de 2001.

No elevador de volta para meu apartamento, pensei em combinações de remédios que esperava que me propiciassem um apagão — Stilnox mais Neurontin mais Notuss. Gardenal mais Stilnox mais Dimetapp. Queria um coquetel que desse um sossega-leão na minha imaginação e que me levasse a um sono profundo, entediante e inerte. Precisava me livrar daquelas fotografias. Nembutal mais Lorax mais Fenergan. Em casa, tomei uma boa dose deste último, ingerindo os comprimidos com o segundo café. Depois peguei um punhado de melatonina e iogurte e assisti *O jogador* e *Segredos de uma novela*, mas não consegui dormir. Estava distraída com as polaroides sob as almofadas do sofá. Coloquei *Acima de qualquer suspeita*, rebobinei, tirei as polaroides da almofada, atirei-as na boca coletora de lixo. Agora sim, pensei, voltando pro sofá.

A noite caía. Eu me sentia cansada, pesada, mas não exatamente com sono. Então peguei outro Nembutal, assisti *Acima de qualquer suspeita*, tomei alguns Imovanes e entornei a segunda garrafa de vinho do velório, mas o álcool de algum modo desfez o efeito dos remédios para dormir e me senti ainda mais desperta do que antes. Daí precisei vomitar e vomitei. Tinha bebido demais. Então fiquei com fome e comi o pão de banana e vi *Busca frenética* três vezes seguidas tomando alguns Loraxs a cada meia hora mais ou menos. Mesmo assim não conseguia dormir. Vi *A lista de Schindler*, que eu esperava que me deprimisse mas que só me irritou, então o sol apareceu e peguei uns Lamictais e assisti *O último dos moicanos* e *Perigo real e imediato*, mas isso também não funcionou, então tomei uns Neurontins e coloquei *O jogador* de novo. Quando acabou, olhei para o relógio digital do videocassete. Era meio-dia.

Pedi um *phat si-io* no tailandês, comi metade, assisti o remake de 1995 de *Sabrina*, estrelado por Harrison Ford, tomei outro banho, mandei o último dos meus Stilnoxs pra dentro e voltei ao canal pornô. Abaixei o volume, saí de frente da tela para que os grunhidos e gemidos pudessem me ninar. Ainda assim, não adormeci. Isso podia durar pra sempre, pensei. Duraria, se eu não fizesse nada. Me masturbei no sofá, sob os cobertores, gozei duas vezes e desliguei a TV. Levantei, ergui as persianas, fiquei sentada por um tempo, estupefata, vi o sol se pôr — seria possível? —, depois rebobinei *Sabrina*, assisti de novo comendo o resto do macarrão tailandês. Assisti *Conduzindo Miss Daisy* e *Na corda bamba*. Tomei um Nembutal e bebi meio frasco de Notuss. Vi *O mundo segundo Garp* e *Stargate* e *A hora do pesadelo: Os guerreiros dos sonhos*, depois *Dirty Dancing* e *Ghost* e *Uma linda mulher*.

Nem um bocejo. Eu não estava nem remotamente sonolenta. Meu senso de equilíbrio tinha ido pro brejo — quase caí quando tentei me levantar, mas me forcei mesmo assim e fiz uma pequena arrumação na casa, guardando as fitas cassete em suas respectivas caixas e colocando de volta na prateleira. Achei que um pouco de atividade poderia me cansar. Tomei um Zyprexa e um pouco mais de Lorax. Mastiguei um punhado de melatonina feito uma vaca ruminante. Nada funcionava.

Então liguei para o Trevor.

"São cinco da manhã", ele disse. Parecia irritado e sonolento, mas atendeu. Meu número deve ter aparecido no identificador de chamadas e ele atendeu.

"Fui estuprada", menti. Fazia dias que eu não falava nada em voz alta. Minha voz rouca de um jeito sexy. Senti que talvez vomitasse de novo. "Você pode vir aqui? Preciso que venha conferir se minha vagina não está machucada. Você é a única pessoa em quem confio", falei. "Pode?"

"Quem é?" Ouvi uma voz de mulher murmurando à distância. "Ninguém", respondeu Trevor. Então me disse um "Número errado" e desligou.

Tomei três Gardenais e seis Fenergans, coloquei *Busca frenética* para rebobinar, abri a janela da sala para o ar circular, descobri que a nevasca uivava lá fora e então lembrei que tinha comprado cigarro, daí fumei um na janela, apertei o play no videocassete e deitei no sofá. Senti a cabeça pesar. Harrison Ford era o homem dos meus sonhos. Meu coração desacelerou, mas ainda assim não conseguia dormir. Bebi um pouco de gim da garrafa. Isso pareceu acalmar meu estômago.

Às oito da manhã liguei para o Trevor de novo. Dessa vez ele não atendeu.

"Só passando pra dizer um 'oi'", eu disse na mensagem gravada. "Faz tempo que a gente não se vê. Fiquei curiosa pra saber como você anda e o que tem feito. Mande notícias."

Quinze minutos depois, liguei mais uma vez.

"Escuta, não sei como dizer isso. Sou HIV positivo. Devo ter pegado de um dos caras da academia."

Às oito e meia, liguei e falei: "Estou pensando em fazer uma mastectomia, simplesmente tirar os peitos. O que você acha? Vou ficar bem no estilo tábua de passar?"

Às 8h45, liguei e disse: "Preciso de um conselho financeiro. Sério, sem brincadeira. Estou angustiada."

Às nove horas ele atendeu.

"O que você quer?", ele perguntou.

"Queria que você dissesse que sentia minha falta."

"Sinto sua falta", ele disse. "É isso?"

Desliguei.

Herdei do meu pai a coleção completa de VHS de *Jornada nas estrelas: A nova geração*. O dia que ele encomendou aqueles cassetes deve ter sido a única ocasião na vida dele que discou para um 0800. Foi vendo *Jornada nas estrelas* na adolescência que passei a nutrir por Whoopi Goldberg a reverência que ela merece. Whoopi parecia uma intrusa improvável no meio do USS *Enterprise*. Sempre que aparecia na tela, sentia que ela estava rindo daquilo tudo. Sua presença fazia o episódio inteiro ficar absurdo. Isso acontecia em todos os filmes dela. Whoopi em seu hábito de freira. Whoopi vestida de crente na Geórgia nos anos 30, com seu chapéu de domingo e uma Bíblia debaixo do braço. Whoopi em *O jogo da verdade*, ao lado de uma pálida Elizabeth Perkins. Aonde quer que ela fosse, tudo ao seu redor se tornava uma paródia, desajeitada e ridícula. Era um conforto ver aquilo. Obrigada, Deus, por ter nos presenteado com a Whoopi. Nada era sagrado. Whoopi era a prova.

Depois de alguns episódios, levantei, tomei uns Nembutais e um Neurontin, enchi a cara com mais meio frasco de Notuss e sentei para ver Whoopi numa conversa franca com Marina Sirtis, trajando uma túnica de veludo azul com estampa de centáureas-azuis e um chapéu com formato de cone invertido feito um bispo futurista. Não fazia o menor sentido. Mas eu não conseguia dormir. Continuei assistindo. Maratonei três temporadas. Tomei Gardenal. Tomei Stilnox. Fiz até chá de camomila, aquele cheiro doce nauseante emanando da minha xícara lascada feito uma fralda quente. Era para ser relaxante? Tomei banho e vesti um pijama novo de cetim molinho que encontrei no armário. Nada de sono. Nada funcionava. Pensei em assistir *Coração valente* de novo. Botei no videocassete e apertei para rebobinar.

Daí o videocassete quebrou.

Ouvi as engrenagens girando, depois gemendo, depois gritando, depois parando. Apertei o "eject", nada. Cutuquei todos os botões. Tirei da tomada e religuei. Peguei o videocassete e chacoalhei. Dei uns tapas, umas chineladas. Nada. Estava escuro lá fora. Meu celular dizia que era 6 de janeiro, 23h52.

Só me restava a televisão. Zapeei os canais. Propaganda de comida de gato. Propaganda de saunas domésticas. Propaganda de manteiga com baixo teor de gordura. De amaciante de roupa. De batata frita em porções individuais. Iogurte de chocolate. Vá para a Grécia, o berço da civilização. Bebidas que te dão energia. Creme pro rosto que te deixa mais jovem. Peixe para seus gatinhos. Coca-Cola significa "eu te amo". Durma na cama mais confortável do mundo. Moça, sorvete não é só para crianças: é para o seu marido também! Se a sua casa está cheirando a merda, acenda esta vela com cheirinho de brownies recém-assados.

Minha mãe dizia que se eu não conseguisse dormir deveria contar algo que realmente importasse, não carneirinhos. Conte as estrelas. Conte carros Mercedes-Benz. Conte os presidentes dos Estados Unidos. Conte quantos anos de vida ainda te restam. Se eu não conseguisse dormir, talvez pulasse da janela. Puxei o cobertor até o peito. Contei as capitais dos estados. Contei diferentes espécies de flores. Contei tons de azul. Cerúleo. Azul petróleo. Ciano. Azul-esverdeado. Azul-turquesa. Azul egípcio. Azul royal. Azul-escuro. Não dormi. Não dormiria. Não conseguia. Contei todos os tipos de pássaro que lembrava. Contei programas de TV dos anos 80. Contei filmes que se passavam em Nova York. Contei suicidas famosos: Diane Arbus, os Hemingway, Marilyn Monroe, Sylvia Plath, Van Gogh e Virginia Woolf. O pobre do Kurt Cobain. Contei as vezes que chorei desde que meus pais morreram. Contei os segundos passando. O tempo podia se arrastar assim pra sempre, pensei de novo. E se arrastaria. O infinito pairava o tempo todo e de uma vez para sempre, comigo ou sem mim. Amém.

Tirei o cobertor. Na TV, um jovem casal explorando uma caverna na Nova Zelândia se abaixava para entrar numa enorme fenda negra, se esgueirava por um túnel estreito no meio das pedras, passava por um lugar que parecia ter enormes gosmas de catarro pendendo do teto e chegava a um espaço iluminado por larvas que emitiam uma luz azul. Tentei pensar numa dessas bobagens que Reva teria dito para ver se me acalmava, não me ocorreu nada. Estava tão cansada. Eu realmente acreditava que não dormiria nunca mais. Minha garganta fechou. Chorei. Chorei de verdade. Minha respiração passava arranhando feito um joelho ralado no parquinho. Foi tão idiota. Fiz uma contagem regressiva de mil a zero e limpei as lágrimas do rosto. Meus músculos estalavam feito carro estacionado na sombra após longa viagem.

Troquei de canal. Era um programa britânico desses sobre a natureza. Uma pequena raposa branca se enterrava na neve num dia de sol ofuscante. "Enquanto muitos mamíferos hibernam durante o inverno, a raposa-polar fica bem acordada. Com um tipo de pelo especial e uma camada de gordura que a reveste por inteiro, essa raposinha corpulenta não se intimida com o frio! Sua tolerância tremenda a climas polares se deve a um metabolismo extraordinário que só começa a acelerar a cinquenta graus centígrados negativos. Isso significa que ela nem chega a tremer antes dos setenta graus negativos. Uau."

Contei peles: vison, chinchila, zibelina, coelho, lontra, guaxinim, arminho, gambá, coiote. Reva pegou o casaco de pele de castor que era da mãe. Ele tinha um corte quadrado e me fez pensar num pistoleiro foragido que se escondia numa floresta cheia de neve e depois seguia para o oeste acompanhando os trilhos do trem ao luar, seu casaco de pele de castor protegendo-o contra o vento cortante. A imagem me impressionou. Era incomum. Eu estava sendo criativa. Talvez estivesse sonhando, pensei. Imaginei esse homem envolto no pelo de castor enrolando a bainha de sua calça gasta para atravessar um riacho gelado, seus pés brancos feito peixes na água. Agora sim, pensei. É o começo de um sonho. Meus olhos estavam fechados. Sentia que começava a devanear.

E então, como se tivesse cronometrado, como se tivesse ouvido meus pensamentos, Reva batia à minha porta. Abri os olhos. Fragmentos de luz branca, nevada, listravam o chão nu. Parecia que o sol começava a nascer.

"Oi? Sou eu, Reva."

Será que cheguei a dormir por um segundo que fosse?

"Abre a porta."

Levantei devagar e fui andando até o corredor.

"Eu tô *dormindo*", cochichei pelo lado de dentro. Olhei pelo olho mágico: Reva parecia molhada e transtornada.

"Posso entrar?", ela perguntou. "Preciso mesmo conversar."

"Posso te ligar mais tarde? Que horas são?"

"Uma e quinze. Tentei te ligar", ela disse. "Olha aqui, o porteiro me entregou sua correspondência. Preciso falar. É sério."

Talvez Reva estivesse envolvida de algum modo na minha escapada sonâmbula ao centro da cidade. Talvez tivesse alguma informação privilegiada sobre o que fiz. Eu me importava com isso? Sim, um pouco. Abri a porta e ela entrou. Estava como a imaginara, com o enorme casaco castor de sua mãe.

"Gostei da blusa", ela disse, passando por mim e entrando no apartamento, um sopro de frio e naftalina. "Cinza é a nova tendência na primavera."

"Continuamos em janeiro, certo?", perguntei, ainda paralisada no corredor. Esperei que Reva confirmasse, mas ela largou o maço de correspondência na mesa de jantar, depois tirou o casaco e pôs no encosto do sofá, ao lado da minha pele de raposa. Duas peles. Pensei de novo nos cachorros mortos de Ping Xi. Me veio uma lembrança de um dos meus últimos dias na Ducat: um gay rico brasileiro acariciando o poodle empalhado e dizendo a Natasha que queria "um casaco assim, com capuz". Minha cabeça doía.

"Estou com sede", eu disse, mas saiu como se estivesse apenas limpando a garganta.

"Ahn?"

O chão se moveu ligeiramente sob meus pés. Fui tateando até a sala de estar, minha mão apalpando a parede fria. Reva já havia se acomodado na poltrona. Eu me equilibrei sem as mãos, em seguida cambaleei em direção ao sofá.

"Bom, acabou", Reva disse. "Chegou oficialmente ao fim."

"O quê?"

"Com Ken!" Seu lábio inferior tremeu. Ela apertou o dedo contra o nariz, prendeu a respiração, depois se levantou e veio na minha direção, me encurralando no canto do sofá. Eu não conseguia me mexer. Fiquei um pouco enjoada ao ver seu rosto ficar vermelho por falta de oxigênio enquanto ela segurava o choro, então percebi que eu também prendia a respiração. Engoli em seco. Reva achou que fosse uma exclamação de aflição, um sinal de compaixão, então me deu um abraço. Ela cheirava a xampu e perfume. Cheirava a tequila. Cheirava vagamente a batata frita. Ela me segurou e ficou se sacudindo, chorando e fungando por um bom tempo.

"Você é tão magra", disse entre uma fungada e outra. "Não é justo."

"Preciso sentar", respondi. "Me larga." Ela me largou.

"Desculpa", disse, entrando no banheiro para assoar o nariz. Deitei e me virei para o encosto do sofá, aconchegada entre o casaco de pele de raposa e o de castor. Talvez agora eu conseguisse dormir, pensei. Fechei os olhos. Imaginei a raposa e o castor juntos numa pequena caverna ao lado de uma cachoeira, os dentes do castor, seu ronco gutural, o avatar animal perfeito para Reva. E eu era a pequena raposa branca deitada de costas, a linguinha rosa chiclete pendendo pra fora do focinho felpudo, refratária ao frio. Ouvi o barulho da descarga.

"O papel higiênico acabou", disse Reva, interrompendo a visão. Eu me limpava com guardanapos do bar fazia semanas, ela já devia ter percebido. "Uma bebida me faria muito bem agora", bufou. Seus saltos tiquetaqueavam no ladrilho da cozinha. "Sinto muito por ter vindo aqui nesse estado. Estou péssima."

"O que aconteceu, Reva?", gemi. "Desembucha. Não estou bem."

Eu a ouvi abrir e fechar alguns armários, depois voltar com uma caneca e sentar na poltrona, se servindo de uma xícara de gim. Não estava mais chorando. Suspirou uma vez meio de mau humor, depois outra vez, drasticamente, e bebeu.

"Ken me transferiu. E disse que não quer mais me ver. Então, é isso. Depois de todo esse tempo. Meu dia foi tão ruim, não consigo nem contar." Mas lá estava ela, contando. Cinco minutos inteirinhos só para narrar como tinha sido voltar do almoço e encontrar um bilhete na mesa. "Como você pode terminar com alguém por meio de um post-it? Era como se ele não se importasse nada comigo. Como se eu fosse alguma secretária dele. Como se fosse uma questão profissional, o que não é!"

"Então o que é, Reva?"

"Uma questão afetiva!"

"Ah."

"Daí fui até a sala dele e ele já começou a dizer: 'Deixa a porta aberta'. Fiquei com o coração na boca porque, né? Um post-it? Fechei a porta e fiquei 'como assim? Como você faz uma coisa dessas?', e ele: 'Acabou. Não posso mais te ver'. Como num filme!"

"O que o post-it dizia?"

"Que estou sendo promovida e que vão me transferir para as Torres Gêmeas. Isso logo no primeiro dia que voltei a trabalhar depois que minha mãe morreu. Ele *estava* no velório, *viu* o meu estado. E agora, de repente, acabou? Simples assim?"

"Você foi promovida?"

"Marsh abriu uma empresa nova de consultoria de crise. Risco de terrorismo, blá-blá-blá. Mas você ouviu o que eu disse? Ele não quer mais me ver, nem no escritório."

"Que idiota", eu disse no automático.

"Pois é, é um cuzão. Quer dizer, nós estávamos *apaixonados*. Totalmente apaixonados!"

"Você estava?"

"Como é que você simplesmente decide cortar uma coisa assim?"

Continuei de olhos fechados. Reva ficou falando sem parar, repetindo a história seis ou sete vezes, cada versão destacando e analisando um novo aspecto. Tentei me desvencilhar de suas palavras e ouvir apenas o zumbido de sua voz. Devo admitir que era um conforto ter Reva ali. Ela era tão boa quanto um videocassete, pensei. A cadência de sua voz era familiar e previsível, como o áudio de um desses filmes que já vi cem vezes. É por isso que passei tanto tempo apegada a ela, pensei enquanto deitava sem prestar atenção no que ela dizia. Desde que a conheci, o zumbido de suposições, as descrições aparentemente intermináveis de suas projeções românticas bobocas haviam se tornado uma espécie de canção de ninar. Reva era um ímã para minha angústia. Ela sugava tudo aquilo pra fora de mim. Eu era um monge zen-budista quando ela estava por perto. Estava acima do medo, acima do desejo, acima das preocupações mundanas em geral. Com ela por perto, podia viver no *agora*. Não tinha passado nem presente. Não tinha pensamentos. Eu era evoluída demais pra toda aquela baboseira. Descolada demais. Reva podia ficar irritada, apaixonada, deprimida, extasiada. Eu não. Eu me recusava. Não sentia nada, era uma lousa em branco. Trevor me disse uma vez que achava que eu era frígida e que eu não ligava pra isso. O.k. Me deixa ser uma vagaba frígida. Me deixa ser a rainha do gelo. Alguém disse que quando você morre de hipotermia vai ficando com frio e com sono e as coisas vão ficando lentas e então você apenas se vai. Não sente nada. Me pareceu razoável. Esse era o melhor jeito de morrer — sonhando de olhos abertos, sem sentir nada. Eu podia pegar o trem para Coney Island, pensei, caminhar pela praia no vento gelado e nadar no oceano. Depois podia boiar de costas, olhando as estrelas, meu corpo ficando dormente, sonolento, à deriva. Não era justo que eu pudesse escolher ao menos como morrer? Eu não morreria como meu pai, passivo e quieto enquanto o câncer o comia vivo. Pelo menos minha mãe fez as coisas do jeito dela. Nunca tinha me ocorrido que devia admirá-la por isso. Pelo menos ela teve coragem. Pelo menos resolveu o troço com as próprias mãos.

Abri os olhos. Havia uma teia de aranha no canto do teto, tremulando feito um retalho de seda comido por uma traça no vento frio. Sintonizei na rádio Reva por um instante. Suas palavras limparam a paleta da minha mente. Obrigada, Deus, por ter me dado Reva, pensei, meu analgésico imbecil e reclamão.

"Daí falei algo como 'estou cansada de você mandando em mim o tempo todo', e ele começou a falar que ele era meu chefe e tudo o mais. Todo machão, sabe? Quando, na verdade, desviava da verdadeira questão, que foi aquela coisa que te falei e que não consigo nem pensar agora." Eu não lembrava que coisa era aquela que ela teria me contado. Mais barulho de gim. "Quer dizer, não vou continuar com isso, é claro. Principalmente depois dessa. Mas não. Não se pode incomodar o Ken com esse assunto. É a *cara* dele tirar o corpo fora."

Me virei para espiá-la.

"Se ele acha que pode se livrar de mim tão fácil...", disse, levantando o dedo. "Se acha que vai se safar disso..."

"E daí, Reva? O que vai fazer com ele? Vai matar? Vai queimar a casa dele?"

"Se ele acha que vai fazer de mim gato e sapato e depois me dar um pé na bunda..."

Ela não conseguia terminar a frase. Não tinha com o que ameaçá-lo. Estava com tanto medo da própria raiva que nem sequer conseguia pensar num ato de violência para dar um basta àquilo. Ela nunca iria se vingar. Então sugeri: "Conte para a mulher dele que ele estava transando com você. Ou processe o cara por assédio sexual".

Reva torceu o nariz num gesto de desaprovação, de repente sua raiva se transformando num pragmatismo calculado. "Não quero que as pessoas saibam. Isso me coloca numa posição desconfortável. E *estou* recebendo um aumento, o que é bom. Além disso, sempre quis trabalhar no World Trade Center. Não é exatamente como se eu tivesse algum argumento pra reclamar, só queria que o Ken se sentisse mal com tudo isso."

"Homens não se sentem mal desse jeito que você quer", eu disse. "Eles ficam irritados e deprimidos quando não conseguem o que querem. É por isso que você foi demitida. Você é deprimente. Leve isso como um elogio, se quiser."

"Transferida, não demitida." Reva pôs a caneca na mesa de centro e tapou o rosto com as mãos.

"Olha, estou tremendo."

"Não tô vendo nada", respondi.

"Estou tremendo, tô sentindo."

"Quer um Frontal?", perguntei sarcasticamente.

Pra minha surpresa, Reva disse que sim. Falei pra ela pegar o frasco que estava no armário dos remédios. Ela foi ao banheiro e voltou com o frasco.

"Deve ter uns vinte remédios controlados ali. Você está tomando todos eles?"

Dei um Frontal pra ela. Tomei dois.

"Vou ficar quietinha aqui de olho fechado, Reva. Você pode ficar, se quiser, mas talvez eu durma. Estou muito cansada."

"Sim, tudo bem", ela disse. "Mas posso continuar falando?"

"Claro."

"Posso fumar um cigarro?"

Acenei com a mão. Nunca tinha visto Reva se expor dessa forma, tão fora de controle. Mesmo quando bebia muito, estava sempre megatensa. Ouvi um barulho de isqueiro. Ela tossiu um pouco.

"Talvez seja melhor assim." Ela parecia mais calma agora. "Talvez eu possa seguir em frente e conhecer uma pessoa nova. Talvez volte a procurar na internet. Ou talvez surja alguém no escritório novo no centro. Eu meio que gosto das Torres Gêmeas, lá de cima você tem uma sensação boa, de calmaria. E acho que se eu começar com o pé direito, com gente nova, não vão me tratar como escrava. Ninguém me ouve no escritório do Ken, ninguém nunca me ouviu. A gente tinha umas reuniões de estratégia e, em vez de escutarem o que eu tinha a dizer, eles me faziam ficar anotando tudo como se eu fosse uma estagiária de dezenove anos. E o Ken me tratava como se eu fosse uma inútil no trabalho porque não queria que ninguém soubesse que a gente tem alguma coisa. *Tinha* alguma coisa. Não é bizarro isso dele ter levado a esposa no velório da minha mãe? Quem faz isso? Pra que aquilo?"

"Ele é um idiota, Reva." Murmurei com a cara enfiada no travesseiro.

"Foda-se. Agora vai ser tudo diferente", disse Reva, apagando o cigarro na caneca. "Eu estava pressentindo que isso ia acontecer. Disse que amava ele, sabe? Claro que isso seria a gota d'água. Que cuzão."

"Talvez você esbarre com Trevor."

"Onde?"

"No World Trade Center."

"Eu nem sei que cara ele tem."

"A mesma de qualquer outro babaca do mundo corporativo."

"Você ainda ama ele?"

"Cruz-credo, Reva."

"Acha que ele ainda te ama?"

"Não sei."

"Queria que ele te amasse?"

A resposta era sim, mas só porque assim eu poderia rejeitá-lo e vê-lo sofrer.

"Te contei que meu pai está tendo um caso?", disse Reva. "Com uma cliente dele chamada *Barbara*. Divorciada, sem filhos. Ele vai levar essa mulher para Boca Raton. Parece que entrou num desses esquemas de condomínio. Estava planejando isso havia meses. Agora entendi por que ele estava sendo tão mão de vaca. Cremação? E essa história de ir pra Flórida? Minha mãe morre e de uma hora para outra ele gosta de calor? Não entendo. Queria que ele tivesse morrido, não ela."

"É uma questão de tempo", respondi.

"Posso pegar outro Frontal?", Reva perguntou.

"Não posso te dar outro, Reva. Desculpa."

Ela ficou quieta por um tempo. Uma tensão pairava no ar.

"A única coisa que faria o Ken pagar pelo modo como me tratou é continuar. Mas não vou fazer isso. De todo modo, obrigada por ter me ouvido." Ela se inclinou sobre mim no sofá, beijou meu rosto, disse "eu *te amo*" e foi embora.

Foi daí que juntei os pontos e percebi que Reva estava grávida. Que em seu ventre havia uma pequena criatura viva. O produto de um acidente. Efeito colateral de uma teia de ilusões e do desleixo. Senti pena daquela criatura ali, sozinha, flutuando no líquido amniótico do ventre de Reva, que supunha estar cheio de refrigerante diet e ser constantemente retorcido em uma histeria aeróbica, tensionado furiosamente em aulas de pilates. Talvez ela *devesse* ficar com o bebê, pensei. Talvez um bebê a acordasse para a vida.

Levantei e peguei um Gardenal e um Frontal. Agora, mais do que nunca, um filme me ajudaria a relaxar. Liguei a TV — no ABC7 News — e desliguei. Não queria ouvir sobre um tiroteio no Bronx, uma explosão de gás no Lower East Side, a polícia reprimindo meninos do ensino médio que pulavam as catracas do metrô, esculturas de gelo desfiguradas na Columbus Circle. Levantei e tomei outro Nembutal.

Liguei para o Trevor de novo.

"Sou eu", isso foi tudo o que ele me deixou dizer antes de começar a falar. Era o mesmo discurso que já tinha ouvido uma dúzia de vezes: estava com alguém agora e não podia mais me ver.

"Nem mesmo como amigos", disse. "Claudia não acredita em relacionamentos platônicos entre homens e mulheres, e estou começando a perceber que ela está certa. E ela está passando por um divórcio, então, é um momento delicado. Eu gosto mesmo dessa mulher. Ela é incrível. O filho dela é *autista*."

"Só queria saber se você podia me emprestar um dinheiro", falei pra ele. "Meu videocassete acabou de quebrar. E estou com tesão."

Eu sabia que parecia uma louca. Conseguia imaginar Trevor recostado na cadeira, afrouxando a gravata, o pênis endurecendo apesar de todo aquele bom-senso. Ouvi um suspiro do outro lado da linha. "Você precisa de dinheiro? É por isso que está ligando?"

"Estou doente e não posso sair de casa. Pode comprar um videocassete novo e trazer aqui? Preciso muito disso. Estou tomando um monte de remédio, mal consigo ir até a esquina. Mal consigo sair da cama." Eu conhecia Trevor. Ele não sabia me dizer não quando eu rastejava. Essa era a ironia fascinante a seu respeito. A maioria dos homens achava a carência uma coisa brochante, mas em Trevor pena e desejo andavam de mãos dadas.

"Olha, não posso cuidar de você agora. Tenho que ir", ele disse, desligando.

Que seja. Fique com aquela pereréca velha e seu filho retardado. Eu sabia como esse novo romance se desenrolaria. Ele passaria meses prometendo mundos e fundos, conquistaria a moça — "Quero te apoiar em tudo. Por favor, conte comigo. Eu *te amo!*" —, mas, assim que surgisse uma dificuldade real — quando o marido dela resolvesse entrar numa disputa judicial pela custódia do filho, por exemplo —, Trevor começaria a ter dúvidas. "Você está me pedindo para sacrificar minhas próprias necessidades por você... não percebe quanto isso é egoísta?" Eles brigariam. Ele fugiria. Talvez até me ligasse para "pedir desculpas por ter sido frio da última vez que nos falamos. Eu estava passando por maus bocados. Espero que possamos superar isso. Sua amizade significa muito pra mim. Odiaria perder você". Se ele não aparecesse agora, pensei, seria apenas uma questão de dias. Levantei, peguei uns Donarens e voltei a deitar.

Liguei para Trevor novamente. Dessa vez não deixei ele nem começar a falar.

"Se você não estiver aqui me fodendo dentro de quarenta e cinco minutos, então pode chamar uma ambulância porque vou estar sangrando de morte, e esteja certo de que não vou só cortar os pulsos na banheira feito uma pessoa normal. Se você não estiver aqui em quarenta e cinco minutos, vou cortar a garganta aqui mesmo no sofá e, enquanto o sangue jorrar, vou ligar pro meu advogado e dizer que estou deixando tudo aqui do apartamento pra você, sobretudo o sofá. Daí você pode contar com a Claudia ou com quem quer que seja pra lidar com essa situação. Ela deve conhecer um bom tapeceiro."

Desliguei. Me sentia melhor. Interfonei para o porteiro. "Meu amigo Trevor está vindo. Deixa ele subir quando chegar." Destranquei a porta, desliguei o celular e guardei num Tupperware lacrado com fita adesiva, então o deslizei para as profundezas da prateleira mais alta do armário em cima da pia. Tomei mais alguns Stilnoxs, comi a pera, vi uma propaganda da ExxonMobil e tentei não pensar em Trevor.

Enquanto esperava, abri uma ripa da persiana e vi que estava bem de noite, que lá fora estava escuro, frio e gelado, e pensei em todas as pessoas cruéis dormindo profundamente como recém-nascidos enrolados em cobertores e abraçados bem firme ao peito de mães amorosas, e pensei nas clavículas ossudas da minha mãe, na renda branca de seus sutiãs e das combinações de seda que ela usava por baixo da roupa, no branco de seu roupão de banho felpudo e caro como o dos bons hotéis pendurado na porta do banheiro, e no robe de seda cinza cujo cinto escorregava dos passadores por ser tão mole e liso e acetinado e que ondulava como a água de um rio numa pintura japonesa, as pernas tesas e pálidas da minha mãe brilhando como a barriga branca de uma carpa banhada pelo sol, sua cauda em forma de leque agitando o lodo e turvando a água do lago como uma nuvem de fumaça num show de mágica, a base em pó da minha mãe, o modo como ela mergulhava seu pincel gordo e redondo no estojo, e em seguida o erguia em direção ao seu rosto pálido, brilhante de creme, produzindo igualmente uma nuvem de fumaça, e me lembrei dela "preparando a pele", como ela dizia, eu me perguntando se um dia seria como ela, um lindo peixe numa piscina artificial, nadando em círculos, sobrevivendo ao tédio apenas porque minha memória só registrava o que está impresso nos últimos minutos da minha vida, apagando constantemente meus pensamentos.

 Por um momento uma vida assim não me pareceu ruim, então levantei do sofá e peguei um Infermiterol, escovei os dentes, entrei no quarto, tirei tudo o que estava vestindo, me meti na cama, puxei o edredom por cima da cabeça e acordei algum tempo depois — alguns dias, imaginei — engasgando e tossindo, os testículos de Trevor balançando na minha cara. "Jesus Cristo", ele murmurava. Ainda estava sonolenta, tonta. Fechei os olhos e os mantive fechados, ouvi o barulho da mão dele afagando o pênis coberto de saliva, em seguida senti que ele ejaculava no meu peito. Uma gota de esperma deslizou por uma crista entre as minhas costelas. Me virei, vi ele sentado na beira da cama, ouvi sua respiração.

"Tenho que ir", disse Trevor depois de um instante. "Demorei aqui de novo, Claudia vai começar a ficar preocupada." Tentei levantar a mão pra mostrar o dedo pra ele, não consegui. Tentei falar, só saiu um gemido. "Você sabe que o videocassete vai ficar ultrapassado em um ou dois anos, né?", ele disse. Em seguida, pude ouvir sua movimentação no banheiro, o tilintar do assento batendo na caixa do vaso, um barulho de xixi, uma descarga, depois a torneira aberta por bastante tempo. Ele devia estar lavando o pau. Trevor voltou e se vestiu, depois deitou atrás de mim, ficou de conchinha por cerca de vinte segundos. Suas mãos frias em meus seios, a respiração quente no meu pescoço. "Esta foi a última vez", ele disse, como se algo o tivesse irritado, como se tivesse me feito um favor enorme. Ele levantou da cama e meu corpo ondulou feito uma boia num mar vazio. Ouvi a porta bater.

Levantei, vesti uma roupa, peguei uns Advils e arrastei o edredom do quarto para o sofá. Na mesinha de centro, um aparelho de DVD ainda na caixa. Olhar para aquilo me deu um embrulho, a nota fiscal presa debaixo da caixa. Pago em dinheiro. Trevor sabia que eu não tinha nenhum DVD.

Liguei a TV no Home Shopping Network. Inebriada, comprei uma panela de arroz da coleção Wolfgang Puck Bistrô, uma pulseira de zircônia cúbica tipo escrava, dois sutiãs com bojo de silicone, desses que juntam e levantam o peito, e sete bibelôs de porcelana pintada à mão de bebês dormindo. Este último item seria um presente para Reva, racionalizei, para *compadecê-la*. Finalmente exausta, adormeci apenas por um instante e passei a noite no sofá em meio a um sono intermitente, meus ossos afundando desconfortavelmente no sofá detonado, minha garganta irritada e dolorida, meu coração disparando e se aquietando esporadicamente, os olhos se abrindo de tempos em tempos para confirmar que eu realmente estava sozinha na sala.

Seis

De manhã, liguei para a dra. Tuttle
"Estou tendo um surto de insônia", falei, o que naquele momento era enfim verdade.
"Dá pra notar pela sua voz", ela disse.
"Meu Stilnox está acabando."
"Tá, isso não é *nada* bom. Vou te pedir só um minutinho e já volto." Ouvi um barulho de descarga, um grunhido gutural que presumo que tenha sido o som da dra. Tuttle levantando a meia-calça e em seguida um tilintar de água na pia. Ela voltou para a linha e tossiu. "Não estou nem aí para o que o Departamento de Saúde e de Serviços Humanos pensa: um pesadelo é apenas um convite para que seus neurocircuitos se reconectem. É uma questão de ouvir os próprios instintos. As pessoas ficariam muito mais em paz se agissem por impulso, e não de modo racional. É por isso que as drogas são tão eficazes na cura de doenças mentais: porque prejudicam nossa capacidade de julgamento. Não tente pensar demais. É uma coisa que tenho dito bastante hoje em dia. Você está tomando seu Seroquel?
"Todos os dias", menti. Seroquel não me fazia nenhum efeito.
"A retirada do Stilnox pode ser perigosa. Como profissional, devo alertá-la a não operar qualquer maquinário perigoso — tratores ou ônibus escolares, por exemplo. Você tentou o Infermiterol?"
"Ainda não", menti de novo.

Contar a verdade para a dra. Tuttle — que o Infermiterol me induziu a fazer coisas estranhas à minha natureza por dias a fio sem o meu conhecimento, que esse remédio acabou anulando os efeitos dos outros medicamentos — iria despertar muitas suspeitas, pensei. "Apagões podem ser sintoma de uma doença derivada da vergonha", imaginei a doutora me dizendo isso. "Talvez você tenha sido infectada pelo arrependimento. Ou pela doença de Lyme. Sífilis. Diabetes. Vou precisar que procure um 'médico de verdade', por assim dizer, para uma batelada de exames." Isso estragaria tudo. Eu precisava da confiança inabalável da dra. Tuttle. Não que houvesse uma escassez de psiquiatras em Nova York, mas encontrar um que fosse tão esquisito e irresponsável quanto ela seria um desafio ambicioso demais para mim.

"Parece que nada está funcionando", eu disse. "Estou até perdendo a fé no Gardenal."

"Não diga *isso*", murmurou a dra. Tuttle, meio ofegante. Eu queria que ela me desse algo mais forte, mais forte até do que o Infermiterol. Fenobarbital. DMT. Qualquer coisa. Para tanto, ela precisa pensar que a ideia de prescrever um troço desses havia partido dela.

"O que a senhora me sugere?"

"Ouvi de vários colegas renomados que trabalham no Brasil que o uso regular de Infermiterol pode ativar um profundo deslocamento tectônico. Ficou provado que, acompanhado de algum trabalho de filigrana usando baixas doses de aspirina e projeção astral, ele é bastante eficaz na cura do terror solipsista. Se isso não funcionar, vamos reavaliar. Talvez a gente precise repensar toda a nossa abordagem em relação ao seu tratamento", ela disse. "Existem alternativas à medicação, embora elas tendam a apresentar efeitos colaterais mais disruptivos."

"Tipo o quê?"

"Você já se apaixonou?"

"Em que sentido?"

"Não vamos colocar a carroça na frente dos bois. No que tange às drogas, o próximo passo no ramo dos anestésicos sedativos pesados de uso doméstico é um medicamento chamado Prognosticrone. Já vi esse remédio fazer milagres, mas um de seus efeitos colaterais conhecidos é o espumejamento, ou seja, espumar pela boca. Ainda assim, não podemos descartar a possibilidade de que talvez — embora isso seja raro e, na verdade, sem precedentes em minha experiência profissional — você tenha sido diagnosticada erroneamente. Talvez você esteja sofrendo de algo... Como posso dizer... *psicossomático*. Diante desse risco, acho que devemos adotar uma postura conservadora."

"Vou tentar o Infermiterol", respondi abruptamente.

"Boa. E faça pelo menos uma refeição rica em laticínios por dia. Sabia que as vacas podem escolher se dormem em pé ou deitadas? Diante dessas opções, sei bem qual *eu* escolheria. Você já fez iogurte no forno? Não responda. Vamos deixar a aula de culinária para o nosso próximo encontro. Agora, anote porque tenho a sensação de que você está psicótica demais para lembrar: sábado, 20 de janeiro, às duas horas. E experimente o Infermiterol. Tchau."

"Espera", eu disse. "E o Stilnox."

"Vou cuidar disso agora mesmo."

Desliguei e olhei para o celular. Ainda era domingo, 7 de janeiro.

Fui até o banheiro e examinei o armário de remédios para conferir o meu estoque. Espalhei os comprimidos no chão de ladrilhos sujo. Ao todo, eu só tinha dois Stilnox, mas outros trinta estavam a caminho. Doze Remerons, dezesseis Donarens. De Lorax, Frontal, Valium, Nembutal e Gardenal eu tinha uns dez de cada. Fora isso, tinha alguns comprimidos soltos de uma dúzia de remédios aleatórios que a dra. Tuttle havia prescrito só porque "reabastecer algo tão peculiar assim poderia desencadear uma série de especulações por parte dos peritos do plano de saúde". Antes, um suprimento desses teria sido suficiente para me garantir um mês de sono moderado, nada muito intenso se eu pegasse leve com o Stilnox. Mas algo no fundo do coração me dizia que agora tudo aquilo seria inútil — um monte de moedas estrangeiras, uma arma sem munição. O Infermiterol relativizou todas as outras drogas. Talvez ele estivesse irradiando uma energia desintoxicante em tudo o que estava nas prateleiras, pensei, e, embora eu soubesse que aquilo não fazia sentido, guardei todos os comprimidos de volta no armário e deixei o frasco de Infermiterol na mesa de jantar. Enquanto olhava para a correspondência, sua tampa de plástico azul brilhava como uma luz neon. Peguei alguns comprimidos de Nembutal e virei as últimas gotas de um frasco de Dimetapp.

Encontrei um comunicado do seguro-desemprego: tinha esquecido de ligar para eles. As míseras parcelas a que eu tinha direito já estavam acabando, de modo que não foi uma grande perda. Joguei o aviso no lixo. Havia um cartão-postal do dentista me lembrando de fazer a limpeza anual. Lixo. Uma conta da dra. Tuttle cobrando uma sessão perdida — escrita à mão no verso de uma ficha catalográfica. "Multa por não comparecimento à consulta do dia 12 de novembro: trezentos dólares". Ela provavelmente já tinha esquecido disso. Separei. Descartei um cupom de desconto de um restaurante novo de comida do Oriente Médio na Segunda Avenida. Joguei fora catálogos de primavera da Victoria's Secret, da J. Crew, da Barneys. Um aviso antigo de desligamento de água enviado pelo administrador. Mais lixo. Abri o demonstrativo do cartão de débito do mês passado e passei os olhos pela fatura. Não encontrei nada fora do comum — a maior parte eram saques no caixa eletrônico do bar. Só umas centenas de dólares na Bloomingdale's. Talvez tivesse roubado o casaco branco de pele de raposa, pensei.

E havia um cartão de Natal da Reva: "Durante esse período difícil, você esteve ao meu lado. Não sei o que faria sem uma amiga como você para enfrentar os altos e baixos da vida...". Era tão mal escrito quanto a tentativa de elegia que havia feito à sua mãe. Joguei fora.

Hesitei em abrir uma carta do advogado imobiliário. Temia que fosse uma conta a pagar, o que me obrigaria a encontrar meu talão de cheques e sair ao mundo para comprar um selo. Mas respirei fundo, encarei o abismo e abri a carta mesmo com medo. Era uma breve nota manuscrita.

"Tentei ligar várias vezes, mas parece que sua caixa está lotada. Espero que tenha passado bem as festas de fim de ano. O professor vai se mudar. Acho que você deveria colocar a casa à venda em vez de procurar um novo inquilino. Financeiramente falando, é melhor vender e investir em ações. Caso contrário, a casa ficará lá vazia."

Um desperdício de espaço, era o que ele dizia.

Mas, quando fechei os olhos e imaginei a casa naquele momento, ela não estava vazia. As profundezas do armário da minha mãe, abarrotado de roupas em tons pastel, me transportaram até lá. Entrei e espreitei por entre as blusas de seda no carpete felpudo e bege do quarto dela, o abajur de cerâmica creme no criado-mudo. Minha mãe. Então passeei pelo corredor, cruzei as portas de vidro até o escritório do meu pai: um caroço de ameixa seca em um pires de chá, seu enorme computador cinza piscando em verde neon, uma pilha de papéis anotados em vermelho, lapiseiras, blocos de notas que se abriam como narcisos. Revistas acadêmicas, jornais e pastas de papel, borrachas cor-de-rosa que de repente me pareciam genitais. Garrafinhas de refrigerante pela metade. Um potinho de cristal lascado cheio de clipes oxidados, dinheiro miúdo, um papel de bala amarrotado, um botão que ele pretendia pregar numa camisa mas que nunca o fez. Meu pai.

Quantos fios de cabelos, cílios, peles mortas e restos de unha dos meus pais teriam sobrevivido por entre as tábuas do assoalho desde que o professor se mudou para lá? Se eu vendesse a casa, os novos donos poderiam cobrir a madeira com linóleo ou arrancá-la. Poderiam pintar as paredes em cores vivas, construir um deck nos fundos e plantar flores silvestres no gramado. Até a primavera, aquilo poderia estar igual à "casa hippie" dos vizinhos. Meus pais teriam odiado.

Deixei de lado a carta do advogado imobiliário e deitei no sofá. Eu deveria ter sentido algo — uma pontada de tristeza, uma pontada de nostalgia. Senti algo peculiar, uma espécie de desespero oceânico que — se eu estivesse num filme — seria representado superficialmente por um vagaroso balançar de cabeça, uma lágrima escorrendo pelo rosto. Taca um zoom nesse meu rosto triste, bonito e órfão. Corta para uma montagem dos momentos mais marcantes da minha vida: meus primeiros passos, papai me empurrando no balanço ao pôr do sol, mamãe me dando banho de banheira, vídeos caseiros e granulados do meu sexto aniversário, comemorado no quintal de casa, eu girando com os olhos vendados para depois tentar acertar o rabo do burro. A nostalgia não veio. Essas lembranças não eram as minhas. Só senti um formigamento nas mãos, aquele arrepio sinistro de quando você quase deixa algo precioso cair de uma sacada mas consegue segurar. Meu coração disparou um pouquinho. Eu podia me livrar dessa casa, disse a mim mesma — da casa, dessa sensação. Já não tinha mais nada a perder. Então liguei para o advogado .

"O que daria mais dinheiro?", perguntei. "Vender a casa ou tacar fogo nela?" Fez-se uma pausa sem fôlego do outro lado da linha. "Oi?"

"Vender, definitivamente", disse o advogado.

"Tem algumas coisas no sótão e no porão", comecei a dizer, "preciso..."

"Você pode pegar quando passarmos os papéis. No devido momento. O professor sai em meados de fevereiro, depois veremos. Te mantenho informada."

Desliguei, vesti o casaco e fui para a Rite Aid.

Ventava e fazia frio, a neve salpicava os carros estacionados na rua como se fosse glitter sob a luz do meio-dia. Senti cheiro de café quando passei pelo bar e fiquei tentada a pegar um para ir tomando no caminho até a farmácia, mas fui sábia e me contive. Cafeína agora não seria nada bom. Eu já estava trêmula e nervosa. Estava apostando alto no Stilnox. Quatro Stilnoxs e uma boa golada de Dimetapp podiam me derrubar por pelo menos quatro horas, pensei. "Pense positivo", como Reva gostava de dizer.

Na Rite Aid, dei uma passada de olhos pelas fitas: *O guarda-costas*, *Nós somos os campeões*, *Karatê Kid 3: O desafio final*, *Tiros na Broadway*, *Emma*. Então me recordei da cruel e dolorosa verdade: o videocassete continuava quebrado.

A mulher atrás do balcão da farmácia era velha e com cara de pássaro. Nunca tinha visto essa atendente antes. O crachá dizia que o nome dela era Tammy. O pior nome na face da Terra. Ela falou comigo com um profissionalismo clínico que me fez odiá-la.

"Data de nascimento? Já esteve aqui antes?"

"Vocês vendem videocassetes?"

"Acho que não, senhora."

Podia ter andado até a Best Buy da rua 86. Podia ter ido e voltado de táxi. Eu era preguiçosa demais, disse a mim mesma. Mas, honestamente, àquela altura acho que já tinha me resignado ao destino. Não havia no mundo filme idiota que pudesse me salvar. Eu já podia ouvir o barulho dos jatinhos, o estrondo que estraçalharia tudo na atmosfera da minha mente e então obscureceria o estrago com lágrimas e fumaça. Não sabia como tudo isso seria. Tudo bem. Peguei um Dimetapp, o Stilnox e uma latinha minúscula de Altoids e encarei o frio até em casa — agitada mas aliviada, os remédios e as balas chacoalhando feito cobras, pensei, a cada passo que dava. Logo estaria em casa novamente. Logo, se Deus quisesse, estaria dormindo.

Um passeador de cachorros passou com cães de colo minúsculos e esganiçados presos por coleiras excruciantes. Suas patinhas tiquetaqueavam pelo asfalto úmido silenciosas como baratas, todos eles tão pequenos que era até surpreendente que alguém não os esmagasse. Fáceis de amar, fáceis de matar. Pensei novamente nos cachorros de Ping Xi, naquela ideia absurda de usar um freezer industrial para depois empalhá-los. Uma rajada de vento forte estapeou meu rosto. Puxei a gola do casaco de pele até o pescoço e me imaginei como uma raposa branca se enroscando num canto do freezer de Ping Xi, o turbilhão formado pela fumaça de gelo, vacas rangendo ao zumbido do frio, minha mente cada vez mais lenta até que pensamentos monossilábicos fossem abstraídos de seus significados e eu pudesse ouvi-los se estender como notas prolongadas, buzinas de navio ou sirenes de toque de recolher ou de um ataque aéreo. "Tudo isso foi um teste." Senti meus dentes batendo, mas meu rosto estava dormente. Daqui a pouco. Estar nesse freezer parecia bom de fato.

"Chegaram flores pra você", disse o porteiro quando entrei no prédio. Ele apontou para um enorme buquê de rosas vermelhas sobre a cornija da lareira que não funcionava e que ficava no saguão do prédio.

"Pra mim?"

Eram de Trevor? Ele teria mudado de ideia a respeito daquela namorada velha e gorda? Será que isso era uma boa notícia? O começo de uma vida nova? Um romance renovado? Eu queria isso? Meu coração se exasperou feito um cavalo assustado, que idiota. Examinei as flores. O espelho pendurado na parede acima da lareira mostrava um cadáver congelado, ainda bonito.

Então percebi que o vaso de vidro tinha a forma de um crânio. Trevor não teria me mandado uma coisa assim. Não mesmo.

"Você viu quem trouxe?", perguntei ao porteiro.

"Um entregador."

"Ele era asiático?"

"Velho, negro. Veio a pé."

Entre as flores havia um pequeno bilhete escrito com caneta esferográfica: "Para minha musa. Me ligue e começaremos".

Virei: era o cartão de visita de Ping Xi, com seu nome, telefone, e-mail e a citação mais cafona que já li: "Todo ato de criação é um ato de destruição — Pablo Picasso".

Peguei o vaso na lareira e entrei no elevador, o cheiro das rosas lembrava o fedor de um gato morto na sarjeta. No meu andar, abri a boca coletora de lixo do corredor, joguei as rosas mas guardei o cartão. Por mais que Ping Xi me enojasse — não respeitava nem a ele nem à sua arte, não queria conhecê-lo, não queria que ele me conhecesse —, me senti lisonjeada e me dei conta de que tanto minha estupidez quanto a vaidade continuavam intactas. Uma boa lição. "Ai, Trevor!"

Chegando em casa, prendi o cartão de Ping Xi na moldura do espelho da sala de estar, ao lado da polaroide de Reva. Mandei quatro Stilnoxs e dei uma bela mamada no Dimetapp. "Você está ficando muito sonolenta", disse a mim mesma mentalmente. Vasculhei o armário de roupa de cama em busca de lençóis limpos, arrumei a cama e me aconcheguei. Fechei os olhos e imaginei a escuridão, imaginei campos de trigo, imaginei o padrão cambiante da areia entre as dunas do deserto, imaginei o lento balanço de um salgueiro à beira do lago no Central Park, imaginei que observava Paris pela janela de um hotel, o céu acinzentado, telhados de cobre e ardósia deformados e gavinhas de aço preto nas varandas e calçadas molhadas lá embaixo. Eu estava em *Busca frenética*, o cheiro de diesel, pessoas com casacos impermeáveis voando de seus ombros feito capas, mãos no chapéu, sinos tocando ao longe, uma sirene francesa de dois tons, o feroz e implacável vrum de uma moto, minúsculos pássaros marrons voando para todo lado. Talvez Harrison Ford aparecesse. Talvez eu fosse Emmanuelle Seigner e esfregasse cocaína na gengiva num carro em alta velocidade e dançasse numa boate como uma serpente, hipnotizando a todos com meu corpo. "Dormir. Agora!" Imaginei um longo corredor de hospital, uma enfermeira de uniforme azul e coxas grossas correndo na minha direção. "Sinto muito, muito", ela ia dizendo. Me afastei. Imaginei Whoopi Goldberg em *Jornada nas estrelas* usando um robe púrpura em frente ao enorme painel através do qual o espaço se estendia em um mistério infinito. Ela olhou para mim e disse: "Não é bonito?". Aquele sorriso. "Ah, Whoopi, é lindo." Dei um passo em direção ao vidro. Os lençóis se agitaram, roçando nos meus pés. Eu não estava totalmente acordada, mas não conseguia atravessar o limiar para a inconsciência. "Vá. Siga em frente. O abismo está bem ali. Só mais uns passos." Estava cansada demais para cruzar o vidro. "Whoopi, você consegue me ajudar?" Sem resposta. Sintonizei meu ouvido nos sons do ambiente, nos carros dirigindo lentamente pelo quarteirão, numa porta batendo, num par de sapatos de salto alto pisando firme na calçada. Talvez seja Reva, pensei. Reva. "Reva?" Essa ideia me acordou.

 Do nada, me senti muito estranha, como se minha cabeça tivesse saído e agora flutuasse a três centímetros do pescoço. Saí da cama e fui até a janela. Abri uma fresta da persiana e olhei para fora. Fixei meu olhar à esquerda, em direção ao horizonte sombrio sobre o rio, perfeitamente visível através das árvores negras e esqueléticas do parque Carl Schurz. Os galhos ondulavam contra a palidez da tarde, em seguida pararam, congelaram e tremeram. Por que tremiam assim? O que havia de errado com eles? Pareciam uma fita cassete sendo acelerada.

Meu videocassete. Minha cabeça pendeu alguns centímetros para a esquerda.
Peguei três Nembutais, o último comprimido de Lorax e sentei no sofá. Aquela sensação estranha parecia começar na cabeça e descer até o torso. Em vez de vísceras, só tinha ar dentro de mim. Não conseguia lembrar da última vez que movi minhas tripas. E se a única forma de dormir fosse a morte?, pensei. Devo procurar um padre? Ah, o absurdo. Comecei a chafurdar. Queria nunca ter tomado aquele maldito Infermiterol. Queria minha velha meia-vida de volta, quando meu videocassete ainda funcionava, quando Reva aparecia com suas queixas banais e eu podia me perder em seu universo raso por algumas horas, desaparecendo no sono logo depois. Eu me perguntava se aqueles dias teriam ficado no passado agora que Reva havia sido promovida e Ken saíra de cena. Será que ela amadureceria de repente e me descartaria como uma relíquia de um passado fracassado, do mesmo modo como eu pretendia fazer com ela assim que meu ano de descanso terminasse? Será que Reva estaria realmente acordando pra vida? Será que já teria percebido que eu era uma amiga de bosta? Será que poderia se livrar de mim assim tão facilmente? Não. Não. Ela era um drone. Era um caso perdido. Se o videocassete estivesse funcionando, eu teria assistido *Uma secretária de futuro* no volume máximo, mastigando melatonina e biscoitos de bichinho, se eu ainda tivesse algum pacote. Por que parei de comprar biscoitos de bichinho? Será que tinha esquecido que um dia fui uma criança humana? Será que isso era um bom sinal?
Liguei a TV.
Assisti *Law & Order*. Assisti *Buffy, a caça-vampiros*. Assisti *Friends*, *Os Simpsons*, *Seinfeld*, *The West Wing*, *Will & Grace*.
As horas passavam em segmentos de trinta minutos. Parece que vi filmes por dias e não dormi. Vez ou outra confundia vertigem e náusea com sonolência, mas, assim que fechava

os olhos, meu coração disparava. Vi *The King of Queens*. Oprah. Donahue. Ricki Lake apresentando fofocas na TV. Sally Jessy Raphael. Me perguntei se já não estaria morta e não senti tristeza, só preocupação com a vida após a morte, se ela seria tão chata assim. Se eu estiver morta, pensei, deixe que isso seja o fim de tudo. Uma estupidez.

Em dado momento, levantei para beber água na torneira da cozinha. Quando fiquei de pé, me bateu uma cegueira repentina. As luzes fluorescentes brilhavam no teto. As bordas do meu campo de visão ficaram pretas. Como uma nuvem, a escuridão veio e se instalou, bloqueando minha visão. Eu movimentava os olhos para cima e para baixo, mas a nuvem negra permanecia ali, imóvel. Então ela começou a crescer, a se alargar. Me agarrei ao chão da cozinha, me estendi sobre o ladrilho frio. Agora ia dormir, era o que eu esperava. Tentei me render, mas não consegui cair no sono. Meu corpo se recusava. Meu coração estremecia. Minha respiração travou. Talvez fosse essa a hora, pensei: podia cair morta agora mesmo. Ou agora. Agora sim. Mas meu coração mantinha seu tum-tum enfadonho, batendo contra o peito como Reva batia na minha porta. Suspirei. Respirei. Estou aqui, pensei. Acordada. Pensei ter ouvido algo, um arranhão na porta. Em seguida um eco. Então o eco desse eco. Sentei. Uma onda de ar frio me atingiu no pescoço. "Shhhhh", disse o ar. Era o som do sangue correndo até o meu cérebro. Minha visão clareou. Voltei para o sofá.

Assisti Jenny Jones e Maury Povich e *Nightline*.

Quando chegou o dia 20, fui ao centro ver a dra. Tuttle. Me senti bêbada e louca enquanto me vestia e calçava um par de botas de solado de borracha que encontrei no armário e que não lembrava de ter comprado. Me senti bêbada no elevador, me senti bêbada cruzando Nova York a pé, me senti bêbada no táxi. Subi os degraus do predinho antigo da dra. Tuttle e me apoiei no interfone por um bom instante até alcançar a porta. A rua coberta de neve me cegava. Fechei os olhos. Eu *estava* morrendo. Diria isso a dra. Tuttle. Eu era uma morta-viva.

"Você parece perturbada", ela disse com naturalidade, atrás do vidro. Observei-a em pé no saguão. Ela usava uma calça térmica comprida sob uma capa de lã. Seu cabelo caía sobre a testa, cobrindo a parte superior das lentes dos óculos. O colar cervical estava de volta.

"Mudei umas coisas por aqui", ela disse, abrindo a porta. "Você vai ver."

Fazia mais de um mês que eu não aparecia no consultório. Uma menorá inteira de velas havia derretido numa assadeira em cima do aquecedor da sala de espera. Num canto, uma árvore de Natal de plástico cujo terço superior havia sido cortado e deixado ao lado dela, num engradado de leite. A parte principal da árvore tinha sido decorada com fios de lantejoulas roxas e o que pareciam ser bijuterias — colares de pérolas falsas, pulseiras de ouro e prata, tiaras de strass para crianças, brincos de pressão baratos.

O consultório cheirava a iodo e sálvia. Onde antes havia um sofá mole e insentável, agora havia uma grande mesa de massagem cor de Band-Aid.

"Acabei de ser certificada como xamã, ou *xamana*, se preferir", disse a dra. Tuttle. "Pode sentar na mesa se não quiser ficar em pé. Você está pra lá de Bagdá. É assim que se fala?" Recostei cuidadosamente contra a estante de livros.

"A senhora usa essa mesa de massagem para fazer mesmo o quê?", me peguei perguntando.

"Recalibrações místicas, principalmente. Uso cavilhas de cobre para localizar *lugubriações* no campo sutil do corpo. É uma forma antiga de cura — localizar e remover cirurgicamente as energias cancerígenas."

"Entendi."

"Por cirurgicamente quero dizer operações metafísicas. Como um ímã de sucção. Posso mostrar a máquina magnética, se estiver interessada. Pequena o suficiente para caber numa bolsa. Custa uma bufunfa, mas vale cada centavo. Cada centavo. Não tanto para insones, mas para jogadores compulsivos e voyeurs. Em suma, para viciados em adrenalina. Nova York está cheia de tipos assim, então prevejo que minha agenda fique lotada este ano. Mas não se preocupe. Não vou abandonar meus pacientes psiquiátricos. Não são tantos assim, de todo modo. Daí eu ter corrido atrás dessa nova certificação. Cara, mas vale a pena. Sente-se", ela insistiu, então sentei, me apoiando na borda fria da mesa de massagem de couro falso para pegar impulso. Minhas pernas balançaram feito criança sentando no consultório médico. "Você parece mesmo perturbada. Como tem dormido ultimamente?"

"Como disse, tenho tido problemas sérios com isso", comecei.

"Não fale nada, já sei o que vai dizer", disse a dra. Tuttle. Ela pegou um pedaço de fio de cobre da mesa e espetou a ponta na própria bochecha, cutucando a carne macia. Sua pele parecia mais viçosa do que eu me lembrava e me ocorreu que ela devia ser mais nova do que eu tinha imaginado. Talvez tivesse só quarenta e poucos anos. "É o Infermiterol. Não funcionou. Acertei?"

"Não muito..."

"Sei exatamente o que deu errado", ela disse, largando o fio de cobre. "A amostra que te dei era pediátrica. Não dá nem pro gosto, por assim dizer. O cérebro precisa transpor uma linha antes de funcionar de forma anormal. É como encher uma banheira. Não significa nada para os vizinhos do andar de baixo, até que comece a transbordar."

"Eu ia dizer que o Infermiterol..."

"Por causa dos *vazamentos*", esclareceu a dra. Tuttle.

"Entendi. Mas acho que o Infermiterol..."
"Agora só um momento enquanto pego sua ficha." Ela arrastou uns papéis em sua mesa. "Não te vejo desde dezembro. Teve um bom fim de ano?"
"Sim, tudo bem."
"Papai Noel te trouxe algo de bom?"
"Este casaco de pele", respondi.
"Esse convívio familiar intenso do fim de ano pode exercer pressão sobre os mentalmente desordenados." Ela estalou a língua como se expressasse pena. Por quê? Passou o dedo na língua e folheou lentamente as páginas da minha pasta, muito devagar. Enlouquecedor. "O cego guia o cego", disse melancolicamente. "Essa expressão foi mal-empregada durante séculos. Não tem nada a ver com ignorância. É sobre a *intuição*... o sexto sentido, que é o sentido *psíquico*. De que *outra* forma o cego poderia guiar? A resposta a essa pergunta tem mais a ver com ciência do que você imagina. Já viu médicos tentando ressuscitar alguém com parada cardíaca? As pessoas não entendem o eletrochoque. Não é como sentar na cadeira elétrica. O choque. A psiquiatria percorreu um longo caminho até chegar ao reino espiritual. As energias. Há quem negue tudo isso, certamente, mas todos eles trabalham para as grandes petrolíferas. Agora me conte seus sonhos mais recentes."
"Não sei. Sempre esqueço. E acho que não estou dormindo nada, zero."
"A gente não esquece das coisas, o.k.? A gente apenas escolhe ignorá-las. Você está disposta a se responsabilizar por seus lapsos de memória e seguir em frente?"
"Sim."
"Agora me deixe fazer uma pergunta técnica. Você tem ídolos?"
"Acho que Whoopi Goldberg é minha heroína."
"Uma amiga da família?"

"Ela cuidou de mim depois que minha mãe morreu", falei. Quem diabos nunca tinha ouvido falar de Whoopi Goldberg?

"E como sua mãe morreu? Foi de repente? Foi violento?"

Eu já havia respondido a essa pergunta meia dúzia de vezes.

"Eu matei ela", disse finalmente.

A dra. Tuttle sorriu e ajeitou os óculos. "Como conseguiu isso, metaforicamente falando?"

Vasculhei minha mente em busca de uma resposta. "Esmaguei oxicodona em sua vodca."

"Isso daria conta do recado", disse a dra. Tuttle, rabiscando com uma caneta esferográfica de maneira maníaca. Não conseguia ver aquilo. Ela estava irritante como nunca. Fechei os olhos.

Meu pai de fato tinha um almofariz e um pilão de mármore branco no escritório — uma antiguidade. Tentei me imaginar pegando um de seus antigos frascos de oxicodona e esmagando os comprimidos ali. Podia ver minhas mãos triturando tudo e depois jogando o pó branco em uma das garrafas de Belvedere da minha mãe que ficavam na geladeira, mexendo o líquido.

"Agora fique quietinha um instante", disse a dra. Tuttle, ignorando minha confissão. Abri os olhos. "Vou fazer uma avaliação da sua mudança de personalidade. Hoje notei que seu rosto está um pouco descentralizado. Alguém já te disse isso? Seu rosto inteiro." Ela estendeu a caneta e apertou os olhos, me medindo — "está numa angulação de uns dez graus negativos. Isso no sentido anti-horário para mim, mas no sentido horário para você quando for para casa e se olhar no espelho. Um declive bem sutil, só um olho treinado conseguiria notar, mas ainda assim é um desvio significativo em relação ao começo do tratamento. Então faz sentido que você esteja com mais dificuldade para dormir agora. Você está fazendo um esforço *muito* grande só pra manter sua mente centrada. É um esforço perdido, suponho. Se você deixar sua mente vagar, vai perceber que pode se adaptar facilmente à realidade desviante. Mas o instinto de autocorreção é *poderoso*. Ô se é. Uma medicação adequada deve suavizar esse impulso. Você não tinha reparado nesse seu desvio facial?"

"Não", respondi, levantando as mãos para tocar meus olhos. Ela enfiou a mão numa sacola de papel e tirou quatro frascos de Infermiterol. "Vamos dobrar sua dose. Estes são comprimidos de dez miligramas. Tome dois", ela disse, deslizando as caixinhas pela mesa. "Se a vaidade não te deixar dormir à noite, que fique registrado que se trata de um desvio bem discreto."

No táxi de volta, me olhei no reflexo das janelas com insulfilme. Meu rosto estava perfeitamente alinhado: a dra. Tuttle era doida de pedra.

O reflexo das portas douradas do elevador do prédio ainda me favorecia. Eu parecia uma versão jovem de Lauren Bacall no dia seguinte a uma bebedeira. Sou tipo uma Joan Fontaine mulambenta, pensei. Abrindo a porta de casa, eu era Kim Novak. "Você é mais bonita que a Sharon Stone", é o que Reva teria me dito. Ela estava certa. Me larguei no sofá, liguei a TV. George W. Bush fazia seu juramento de posse. Ele franziu a testa e começou seu monólogo. "Incentivar a responsabilidade não é buscar bodes expiatórios; é um chamado à consciência." Que merda significava isso? Que os americanos deveriam levar a culpa por todos os males do mundo? Ou só pelos males do nosso próprio mundo? Quem se importava com isso?

E então, como se eu a tivesse convocado com meu cinismo mundano, Reva batia na minha porta mais uma vez. Atendi um tanto quanto grata.

"Bom, agendei o aborto", ela disse, passando por mim na sala de estar. "Preciso que me diga que estou fazendo a *coisa certa*."

"Peço a vocês que sejam cidadãos. Cidadãos, não espectadores. Cidadãos, não pessoas que se sujeitam às coisas passivamente. Cidadãos responsáveis na construção de uma comunidade que se ajude e de uma nação de *caráter*."

"Esse Bush é bem mais bonitinho do que o anterior, né? Parece um cachorrinho travesso."

"Reva, não estou me sentindo bem."

"Até aí, nem eu", respondeu. "Só quero acordar e ver que isso está encerrado, que nunca mais terei que pensar nesse assunto. Não vou contar ao Ken. Só se eu achar que devo. Mesmo assim, só contaria depois. Você acha que ele vai se sentir mal? Eu me sinto mal. Ah, me sinto péssima."

"Quer tomar uma coisinha pra tirar esse peso das costas?"

"Ô se quero."

Saquei uma das amostras de Infermiterol que a dra. Tuttle tinha me dado do bolso do casaco de pele. Estava curiosa pra saber se Reva responderia àquele remédio do mesmo jeito que eu.

"O que é isso?"

"Amostras."

"Amostras? Isso é legalizado?"

"Sim, Reva, claro que é legalizado."

"Mas o que é isso? In-fer-mi-te-rol?" Analisou a caixinha e rasgou-a.

"É uma ajuda entorpecente", respondi.

"Parece bom. Estou topando qualquer coisa. Você acha que talvez o Ken ainda me ame?"

"Não."

Observei seu rosto brilhar de fúria, depois voltar ao normal. Ela pegou um comprimido e o segurou na palma da mão. Será que o rosto *dela* estava num ângulo torto? Será que o de todo mundo estaria? Será que meu olho estaria torto? Reva se inclinou e pegou um elástico de cabelo do chão.

"Posso pegar isso emprestado?" Aquiesci com a cabeça. Ela botou o comprimido no chão e ajeitou o cabelo. "Talvez eu possa procurar na internet quando chegar em casa. In-fer-mit..."

"Meu Deus, Reva, está tudo bem. E não dá pra procurar", respondi, embora eu mesma nunca tenha tentado. "Ainda não está no mercado. Os psiquiatras sempre têm amostras. As empresas farmacêuticas enviam pra eles. É assim que funciona."

"Será que ela recebe amostras de Topamax? Pra emagrecer?"

"Reva, por favor..."

"Então você está dizendo que é seguro."

"Claro que é seguro. Foi a minha *médica* que me deu."

"O que isso faz?"

"Não sei dizer", respondi, o que era a verdade.

"Hmmm."

Eu não podia ser honesta com Reva. Se contasse que tinha tido apagões, ela ia querer discutir isso exaustivamente. Não suportava a ideia de vê-la sacudindo a cabeça horrorizada, depois tentando segurar minha mão. "Me conte tudo!" Ela ia chorar, salivar. Pobre Reva. Talvez achasse mesmo que eu era capaz de dividir as coisas. "Amigas para sempre?" Ia querer que fizéssemos algum pacto sagrado. Ela sempre queria fazer pactos. "Vamos fazer um pacto de marcar pelo menos dois brunches por mês. Vamos fazer uma promessa de passear pelo Central Park todo sábado. Vamos combinar um horário pra gente se falar todo dia pelo telefone. Você jura que este ano a gente vai esquiar? Isso queima tanta caloria."

"Reva", eu disse, "isso é um remédio pra dormir. Tome e durma. Tire uma folga da sua obsessão pelo Ken."

"Não é uma obsessão. Isso é um procedimento *médico*. Eu nunca fiz um aborto. Você já fez?"

"Você quer ou não se sentir melhor?"

"Claro que eu quero."

"Não saia de casa depois de tomar. E não conte pra ninguém."

"Por que não? Você acha que isso é ilegal? Acha que sua médica é tipo uma traficante?"

"Não, Reva, pelo amor de Deus. É só que a dra. Tuttle deu o Infermiterol pra *mim*, não pra você. Não posso ficar compartilhando meus remédios. Se você tiver um ataque cardíaco, isso pode feder pra ela. Não quero estragar minha relação com ela por causa de um processo. Talvez seja melhor você não tomar."

"Você acha que isso pode me fazer mal? Ou fazer mal ao bebê?"

"Você se importa de fazer mal ao bebê?"

"Não quero que ele morra *dentro* de mim", ela disse.

Revirei os olhos, peguei o frasco que ela havia deixado em cima da mesinha de centro, tirei um comprimido e disse: "Também vou tomar um". Abri a boca, joguei o remédio lá dentro, engoli.

"Tá bom", disse Reva, e sacou um 7 UP diet da bolsa. Ela pôs o Infermiterol na língua como se estivesse fazendo a sagrada comunhão, depois sugou metade da lata.

"E o que a gente faz agora?"

Não respondi. Apenas sentei no sofá e zapeei os canais até encontrar um que não estivesse cobrindo a posse. Reva saiu da poltrona e sentou perto de mim pra assistir TV.

"*Salva pelo gongo!*", ela disse.

Ficamos ali sentadas, assistindo juntas, Reva falando qualquer coisa de tempos em tempos. "Não estou sentindo nada, e você?" Em seguida: "Pra que colocar uma criança no mundo quando está tudo indo pro inferno mesmo?". E então: "Eu odeio Tiffani Amber Thiessen. Ela é tão sem classe. Sabia que ela só tem um metro e sessenta e cinco? Conheci uma menina no ensino médio que era parecida com ela. Jocelyn. Ela usava brincos de pendente antes de todo mundo". E depois: "Posso te perguntar uma coisa? Fiquei um tempão pensando nisso. Não fique com raiva, mas preciso perguntar. Se não perguntasse não seria uma boa amiga".

"Vá em frente, Reva. Manda bala."

Quando acordei, três dias depois, ainda estava em casa, no sofá, com meu casaco de pele. A TV estava desligada, Reva tinha ido embora. Levantei e bebi água da pia da cozinha. Ou eu ou Reva havíamos posto o lixo pra fora. A casa estava estranhamente calma e limpa. Tinha um post-it amarelo na geladeira. "Hoje é o primeiro dia do resto da sua vida! Beijinhos."
Não fazia ideia do que eu teria dito para inspirar Reva a me deixar um bilhete motivacional tão condescendente. Talvez eu tenha feito um pacto com ela durante o apagão: "Vamos ser felizes! Vamos viver cada dia como se fosse o último!". Argh. Fui até a geladeira, peguei o bilhete e amassei. Isso me deixou um pouco melhor. Tomei um iogurte orgânico de baunilha que não lembrava de ter comprado.

Decidi tomar uns Frontais só pra me acalmar, mas, quando abri o armário de remédios em cima da pia do banheiro, vi que os meus remédios tinham sumido. Todos os frascos e cartelas haviam desaparecido.

Senti um soco no estômago. Fiquei levemente surda.

"Oi?"

Reva tinha levado meus remédios, é claro. Não tive dúvida disso. Tudo o que ela me deixou foi uma única dose de Fenergan na cartela de alumínio: um quadrado de dois centímetros contendo dois anti-histamínicos que não davam nem pro começo. Peguei o Fenergan incrédula e fechei a porta do armário do espelho. No reflexo, meu rosto me assustou. Me inclinei e examinei minha cara pra ver se algo tinha mudado desde aquele comentário estranho da dra. Tuttle. Eu *estava* mesmo diferente. Não saberia dizer o quê, mas tinha algo diferente, algo que nunca havia estado ali. O que seria? Eu tinha entrado numa nova dimensão? Que ridículo. Abri o armário de novo. Os remédios não reapareceram magicamente. Nunca pensei que Reva pudesse ter tamanha ousadia. Talvez eu tenha tentado esconder os remédios de mim mesma, pensei. Comecei a abrir gavetas e armários no corredor, na cozinha. Subi no balcão para examinar os fundos das prateleiras. Não havia nada lá atrás. Procurei no quarto, na gaveta do criado-mudo, debaixo da cama. Tirei tudo pra fora do guarda-roupa, não encontrei nada e soquei tudo de volta lá dentro. Examinei as gavetas meticulosamente. Voltei pra sala e abri o zíper das almofadas do sofá. Talvez tivesse escondido os comprimidos no forro, pensei. Mas por que eu faria isso? Encontrei meu celular carregando no quarto e liguei pra Reva. Ela não atendeu.

"Reva", comecei a gravar em sua caixa postal. Ela era uma covarde, pensei. Uma idiota.

"Você é médica? Algum tipo de especialista em saúde? Se a porra dos meus remédios não estiverem de volta naquele armário até hoje à noite, está tudo acabado entre nós. Nossa amizade já era. Nunca mais vou querer olhar pra sua cara. Isso, claro, se eu sobreviver. Não te ocorre que talvez você não esteja completamente por dentro do meu problema de saúde? Não te ocorre que suspender essas medicações do nada pode me trazer consequências graves? Posso entrar em convulsão, Reva. Posso ter um aneurisma. Um choque psíquico. Tá legal? Um colapso celular. Como é que você vai ficar se souber que eu morri por sua culpa? Não sei como poderá viver consigo mesma. Quanto vômito e simulador de escada seria preciso pra superar algo assim, hein? Você deve estar ciente de que matar alguém que você ama é o ato autodestrutivo por excelência? Cresça, Reva. Essa merda toda é um pedido de ajuda? Porque, se for, que coisa mais patética. Seja como for, me ligue de volta. Estou esperando. E, sinceramente, não estou me sentindo nada bem."

Peguei os dois Fenergans, sentei no sofá e liguei a televisão.

"Em uma votação esmagadora de cem votos a zero, o Senado confirmou Mitch Daniels como diretor do Escritório de Administração e Orçamento da Casa Branca da recém-empossada administração Bush. Daniels, de cinquenta e um anos, foi vice-presidente sênior da Eli Lilly, o gigante farmacêutico sediado em Indianápolis."

Troquei de canal.

"Nesta semana começaram as negociações entre os roteiristas de Hollywood e os executivos das grandes produtoras para tentar impedir uma possível greve da categoria que poderá resultar num apagão da indústria cinematográfica, deixando sem trabalho milhares de roteiristas da indústria do entretenimento. O impacto tremendo dessa greve seria mais forte na televisão — telespectadores poderão ficar sem assistir basicamente nada que exija um roteiro."

A ideia não parecia assim tão ruim. Será que o Fenergan estava batendo?

Então notei que havia outro post-it afixado sobre o videocassete quebrado. O horror. Devia ser outra mensagem banal de Reva me encorajando a "viver a vida ao máximo" ou qualquer chorume do tipo. Levantei e arranquei o bilhete. O clichê contido naquelas palavras não me decepcionou: "Tudo o que você pode imaginar é real. Pablo Picasso". Acontece que aquela não era a letra de Reva. Demorei um pouco para reconhecer. Era de Ping Xi.

Corri para o banheiro.

O vômito jorrou como um xarope azedo com gosto de leite, espirrando no meu rosto. Um redemoinho rosa neon formado pelos dois Fenergans se misturava à água. Dias atrás eu talvez os tivesse pescado na privada, mas já estavam quase dissolvidos. Vão com Deus, disse a mim mesma. Além do mais, dois Fenargans eram uma piada. Uma cusparada num incêndio florestal. Uma tentativa de domar um leão enviando um cartão-postal. Senti meu rosto esquentar e sentei no azulejo frio. O cômodo inteiro girou por um momento, o chão subiu e desceu feito o convés de um navio enfrentando uma onda. Me senti enjoada. Precisava tomar alguma coisa senão ficaria louca. Morreria, eu acreditava. Regulei o toque do celular no volume máximo, para quando Reva ligasse. Levantei devagar. Escovei os dentes. No espelho, meu rosto estava vermelho e suado. Era raiva. Era um medo amargo.

Voltei para o sofá, encarei a tela da TV e apoiei o pé na mesinha de centro. Amassei o post-it idiota que Ping Xi havia me deixado, em seguida o coloquei na língua e deixei que se dissolvesse lentamente conforme minha boca se enchia de saliva. Passava *Sybil* no Turner Classic Movies. Eu estava determinada a manter a calma. Mastiguei o papel e fui engolindo aos poucos. "Sally Field é bulímica", Reva teria me dito se estivesse lá. "Ela fala disso abertamente. Jane Fonda também. Mas todo mundo sabe disso. Lembra das coxas dela naqueles vídeos de ginástica? Não eram *naturais*."

"Ah, cala a boca, Reva."

"Eu *te amo*."

Talvez ela me amasse, e era por isso que eu a odiava.

Me perguntei se minha mãe teria saído daquela situação caso eu tivesse confiscado seus remédios do jeito como Reva confiscou os meus. Reva tinha sorte de só ser atormentada pela imagem do corpo da sua mãe em chamas. "Fôrmas individuais." Ao menos o corpo da mãe dela já era. Não existia mais. Minha mãe morta jazia num caixão. Um esqueleto seco. Eu sentia como se ela ainda estivesse tramando algo lá de baixo, imersa em amargura e sofrimento enquanto seu corpo definhava e se desprendia dos ossos. Será que ela me culpava? Nós a enterramos num tailleur rosa-claro Thierry Mugler. Seu cabelo arrumado à perfeição. Batom incrível, vermelho-sangue, Christian Dior 999. Se eu a desenterrasse agora, será que o batom já teria saído? Seja como for, ela não passaria de uma casca, uma casca dura, o exoesqueleto de um inseto enorme. Isso era minha mãe. E se eu tivesse jogado tudo aquilo na privada antes de voltar para a faculdade? Despejado suas bebidas na pia? Era o que ela secretamente queria que eu fizesse? Isso a teria deixado feliz uma vez na vida? Ou a teria feito perder ainda mais as estribeiras? "Minha própria filha!" Senti um pouco de remorso. O cômodo cheirava a moedas, pensei. O ar tinha aquele gosto de quando você passa a língua numa pilha. Frio e elétrico. "Não estou apta a ocupar um lugar no mundo. Me desculpe por estar viva." Talvez eu estivesse alucinando. Talvez estivesse sofrendo um derrame. Queria um Frontal. Queria um Rivotril. Reva deu cabo até de uma embalagem vazia de melatonina mastigável sabor hortelã. Como foi capaz de fazer uma coisa dessas?

Elaborei uma lista mental de todos os remédios que queria tomar e me imaginei tomando-os. Fiz uma concha com as mãos e fui tirando comprimidos invisíveis da palma da mão. Engoli um por um. Não funcionou. Comecei a suar. Voltei para a cozinha e tomei água da torneira, depois enfiei a cabeça no freezer e encontrei uma garrafa de Jose Cuervo embrulhada num saco plástico branco enrugado. Fiquei feliz de não ser um crânio humano. Bebi a tequila e olhei a polaroide de Reva. Foi aí que lembrei que eu tinha um molho de chaves do apartamento dela.

Eu não ia ao Upper West Side fazia muitos anos, desde a última vez que fui à casa de Reva. Havia uma sensação de segurança naquela parte da cidade, de sobriedade. Os prédios eram mais sólidos. As ruas eram mais largas. Nada tinha mudado desde que me formei em Columbia. O Westside Market. O Riverside Park. O 1020. O West End. Pizza barata vendida em fatias. Talvez fosse por isso que Reva adorasse esse lugar, pensei. Lanches baratos. Era caro ser bulímica se você quisesse manter um gosto refinado. Sempre achei patético ela ter permanecido naquela região depois de terminar a faculdade, mas, passando por ali de táxi, naquele meu frenesi desesperador, eu entendi: havia certa estabilidade em viver no passado.

Apertei a campainha do prédio de Reva na rua 98 Oeste algumas vezes. Lorax seria bom, pensei. E, estranhamente, me peguei desejosa de lítio também. E de Seroquel. Algumas horas de enjoo e salivação soaram como abstinência torturante antes de cair no sono — com Stilnox, Tylex, um Vicodin solto que eu guardava pra mais tarde. O plano era pegar minhas coisas na casa de Reva, voltar pra casa e dormir dez horas seguidas. Depois levantar, beber um copo d'água, fazer um lanche e partir para mais dez horas seguidas. Pelamordedeus!

Apertei a campainha de novo e esperei, imaginando Reva subindo o quarteirão em direção ao prédio com um monte de sacolas da D'Agostino, o choque e a vergonha estampados em seu rosto quando me visse esperando por ela, os braços carregados de mistura para brownie e sorvete e batata frita e bolo e fosse lá o que fosse que Reva tanto gostava de comer e vomitar. O descaramento dela. A hipocrisia. Andei em círculos pelo pequeno átrio do prédio, socando a campainha com força. Não conseguia mais esperar. Eu tinha uma cópia da chave. Resolvi entrar.

Subindo as escadas, senti cheiro de vinagre. De detergente. Pensei detectar cheiro de mijo. No segundo andar, um gato cor de malva sentava no corrimão feito uma coruja. "Exasperar-se com animais durante um sonho pode ter consequências primitivas e violentas", disse a dra. Tuttle certa vez, acariciando o gato gordo e malhado que roncava em seu colo. Quando cheguei perto do gato, tive vontade de empurrá-lo escada abaixo. Seu olhar era tão presunçoso. Bati à porta de Reva. Lá dentro, nada de vozes, só o vento uivando. Esperava encontrá-la em casa, de pijama rosa de flanela com estampa de coelhinho,

pantufas cor-de-rosa, em meio a um coma de açúcar, quem sabe chorando histericamente porque estava "perdendo a capacidade de lidar com a realidade" ou qualquer que fosse a merda que estaria sentindo. A chave prateada que eu carregava no bolso abriu a porta do apartamento de Reva. Entrei.
"Oi?"
Podia jurar que cheirava vômito na escuridão.
"Reva, sou eu", disse. "Sua *melhor amiga*."
Alcancei o interruptor perto da porta, que lançou um brilho sufocante e colorido pelo cômodo. Sério que a lâmpada era cor-de-rosa? A casa estava uma bagunça, silenciosa e abafada, exatamente como me lembrava. "Reva? Você está aqui?" Um pesinho mantinha a única janela da sala de estar aberta, mas não entrava vento algum. Uma borboleta adutora pendia do varão de onde descia uma cortina floral presa de lado com um prendedor de roupa.

"Vim buscar minhas coisas", eu disse para as paredes.

Pilhas e pilhas de *Cosmo*, *Marie Claire* e *Us Weekly*. O único movimento na sala de estar vinha do protetor de tela de seu enorme Dell, que ficava numa mesinha lateral no canto e era quase que coberto por um varal de chão cheio de conjuntinhos de malha Ann Taylor, camisas Banana Republic, calcinhas. Meia dúzia de tops brancos gastos. Pares e mais pares de meia-calça bege. "Reva!", chamei, chutando do meio do caminho uma pilha de tênis em cores berrantes.

Na cozinha, um bolo ressecado com marcas de dedos jazia no balcão, ao lado de um tablete de manteiga que não era manteiga de verdade e de um frasco de xarope de bordo sem açúcar. Montanhas de louça suja sobre a pia. Uma pequena lata de lixo transbordando de embalagens de junk food e de cabinhos de maçã. Metade de um waffle torrado coberto com manteiga de amendoim, um saco de cenourinhas escurecidas. Latas amassadas de 7 UP diet lotavam uma caixa de papelão ao lado da lata de lixo. Havia latas de 7 UP diet por toda a parte. Um copo de suco de laranja com mosquitinhos boiando na superfície.

Dentro dos armários da cozinha havia exatamente o que eu esperava. Chás laxantes à base de ervas, Metamucil, adoçante, sopa "saudável" enlatada, pilhas de atum em lata. Tortilha de pacote. Bolacha salgada em formato de peixinhos. Manteiga de amendoim light. Geleia sem açúcar. Calda de chocolate sem açúcar. Bolacha de arroz. Pipoca de micro-ondas com baixo teor de gordura. Um monte de bolo de caixinha. Saiu um fumacê assim que abri o congelador. O interior duro de gelo estava cheio de iogurte congelado sem gordura. Picolés sem açúcar. Uma garrafa de Belvedere. Déjà-vu. O novo drinque favorito de Reva, ela me disse — teria sido enquanto eu estava sob o efeito do Infermiterol? —, era Gatorade light com vodca.

"Você pode beber isso o dia todo sem nunca ficar desidratada."

"Reva, se você está se escondendo de mim, eu vou te encontrar", gritei.

Seu quarto não era muito maior do que o colchão king size que, segundo ela me contou, herdara dos pais quando a mãe adoeceu "e eles passaram a ficar em camas separadas porque meu pai não conseguia dormir com ela se mexendo o tempo todo". Os números esverdeados de um despertador digital brilhavam por entre latas de 7 UP diet no criado-mudo. Eram 4h37. Senti cheiro de manteiga de amendoim e, de novo, de vômito, amargo e penetrante. O edredom Laura Ashley estava dobrado aos pés da cama. Manchas de comida nos lençóis. Embaixo da cama, apenas sapatos, mais revistas, potinhos vazios de iogurte, sacolas de papel do Burger King amassadas feito bolas de futebol vazias. Na gaveta do criado-mudo, um vibrador roxo, um diário de capa verde brilhante, uma máscara de dormir roxa, um pacote de bala de cereja, uma polaroide de sua mãe fantasiada de Tigrão, sorrindo timidamente, os olhos meio fechados, sentada naquele sofá revestido de plástico em Farmingdale, uma Reva de cinco anos vestida de Ursinho Puff sentada em seu joelho, recebendo um carinho na barriguinha felpuda e protuberante. Abri o diário. Era só um registro numérico de somas e subtrações matemáticas cujos resultados vinham circulados e acompanhados de rostinhos sorridentes ou carrancudos. A última anotação era do dia 23 de dezembro. Reva parecia ter abandonado o jogo assim que sua mãe morreu. Pensei em Reva dormindo naquela cama todas as noites, provavelmente bêbada e cheia de aspartame e Antak. De manhã ela se vestia e partia para o mundo, uma máscara de compostura. E quem tinha problemas aqui era *eu*? Quem era a verdadeira doente mental dessa história, Reva? Eu a odiava mais e mais.

O banheiro parecia o camarim de duas gêmeas adolescentes se preparando para um concurso de miss. Dava pra sentir cheiro de mofo, vômito e desinfetante. Uma caixa de ferramenta cor-de-rosa abarrotada de pincéis e aplicadores de todas as formas e tamanhos, maquiagem de farmácia, esmalte, provadores furtados, uma dúzia de tons de brilho labial Maybelline. Na prateleira, dois secadores de cabelo, um modelador, uma chapinha, um recipiente só de presilhas e tiaras de plástico. Recortes de revistas de moda colados na borda do espelho e no armário embaixo da pia. Um anúncio da Guess com Claudia Schiffer. Kate Moss num jeans Calvin Klein. Silhuetas magérrimas de supermodels. Linda Evangelista. Kate Moss. Kate Moss. Kate Moss. Um pote de bolas de algodão e cotonetes. Uma tigelinha de grampos. Dois frascos enormes de Listerine. Ao lado da caneca que devia ter uma dúzia de escovas de dente, todas elas de cerdas amareladas e gastas, um frasco de Vicodin. Vicodin! Prescrito pelo dentista. Ainda tinha doze comprimidos. Tomei um e enfiei o resto no bolso. Debaixo da pia, mais remédios num cesto de vime com uma fita cor-de-rosa no tampo — uma relíquia da Páscoa, imaginei. Quando Reva a comprou, deve ter vindo com ovinhos de chocolate. Liquidação. Agora tinha Lasix, ibuprofeno, Mylanta, Dulcolax, Reductil, Buscofem, aspirina, Anfepramona. Atrás do armário, uma sacola de presente da Victoria's Secret enfiada num canto. Dentro dela, a glória! Meu Stilnox, meu Rozerem, meu Lorax, meu Frontal, meu Donaren, meu lítio. Seroquel, Imovane. Valium. Eu ri. Chorei. Meu coração finalmente desacelerou. Minhas mãos começaram a tremer um pouco ou talvez estivessem tremendo o tempo todo. "Graças a Deus", eu disse em voz alta. A corrente de vento bateu a porta do banheiro com um estrondo comemorativo.

Contei três lítios, dois Lorax, cinco Stilnox. Pareceu uma mistura agradável, uma luxuosa queda livre na escuridão aveludada. E um par de Donarens, porque o Donaren dava uma segurada no Stilnox, então, se eu sonhasse, sonharia rente ao chão. Isso teria um efeito estabilizante, pensei. E talvez mais um Lorax. Lorax pra mim era como ar puro. Uma brisa fresca, ligeiramente efervescente. Isso é bom, pensei. Um descanso de verdade. Minha boca se encheu de água. Um sono de qualidade, forte, americano. Esses remédios limpariam o lodo de Infermiterol que restava em minha mente. Aí, sim, eu me sentiria melhor. Aí, sim, eu estaria bem. Viveria tranquilamente. Pensaria tranquilamente. Meu cérebro deslizaria. Olhei o sortimento de comprimidos na minha mão. Clique. Adeus, sonho ruim. Queria ter minha Polaroid ali para documentar aquela cena. "Me esqueça, Reva", diria, jogando as fotos na cara dela. "Esta é a última vez que você me vê." Isso me importava? Acho que não. Se eu encontrasse o corpo de Reva pendurado pelo pescoço atrás da cortina do boxe, poderia ter simplesmente ido pra casa. Mas esse era um momento de cerimônia. Eu tinha minha poção mágica de volta. Isso agora é meu, disse a mim mesma. Vou dormir.

A água da torneira era cor de ferrugem e tinha gosto de sangue. Eu não queria sujar meus belos comprimidos com aquele suor de Satanás. Melhor seria beber da pia da cozinha, pensei, e me encaminhei até a porta do banheiro, tentando abri-la. Não abria. Mexi na fechadura, girando o botão para a frente e para trás. "Reva?" Alguma coisa estava emperrada ou quebrada. Enfiei o punhado de comprimidos no bolso do casaco e girei a maçaneta de novo, puxando e tentando arrancá-la. Não funcionou. Eu estava trancada por dentro. Esmurrei a porta.

"Reva!", chamei novamente.

Sem resposta. Sentei no tampo cor-de-rosa felpudo do vaso e mexi na maçaneta pelo que pareceram vinte minutos. Teria que arrombar a porta ou esperar que Reva voltasse do trabalho, pensei. Qualquer uma das opções resultaria num confronto. Já sabia tudo o que ela iria dizer.

"Passei tempo demais sem me meter nesse assunto. Você tem um *problema*. Não posso simplesmente virar a cara enquanto você se mata."

E o que eu responderia.

"Agradeço sua preocupação", diria, sentindo o sangue subir, querendo matá-la. "Estou sendo supervisionada por uma médica, Reva. Não precisa se preocupar comigo. Eu não teria permissão pra fazer nada disso se não fosse kosher. Está tudo sob controle!"

Ou talvez ela optasse pela via do coração partido.

"Enterrei minha mãe há poucas semanas. Não vou enterrar você também."

"Você não enterrou a sua mãe."

"Cremei, que seja."

"Quero um enterro no mar", diria a ela. "Me embrulhe num pano preto e me jogue no mar. Como um pirata."

Puxei pra trás a cortina embolorada do chuveiro, pendurei o casaco no toalheiro, deitei na banheira e esperei. Não dormi até Reva chegar e me destrancar. Sabia que não conseguiria. Eu precisava de uma saída para aquilo — o banheiro, os comprimidos, a insônia, a vida fracassada e estúpida.

Quando a solução para meus problemas surgiu, ela aterrissou na minha mente como um falcão num penhasco. Parecia ter estado circulando ali o tempo todo, estudando cada pequeno aspecto da minha vida, juntando todas as peças. "Este é o caminho." Eu sabia exatamente o que tinha que fazer: precisava ser trancada.

Se um único comprimido de Infermiterol era capaz de me atirar num vazio inconsciente por três dias seguidos, então eu tinha o suficiente para sair do ar até junho. Só precisava de um carcereiro, e eu poderia viver um sono permanente sem medo de sair e me envolver com o que quer que fosse. Tudo isso parecia apenas uma questão prática. O Infermiterol funcionaria pra mim. Fiquei aliviada, quase feliz. Não me importei nem um pouco quando Reva finalmente chegou em casa, abriu a porta do banheiro, gritou e expressou sua enorme preocupação com a minha sanidade, enquanto me empurrava porta afora porque, imaginei, estava com o estômago cheio de porcaria que queria vomitar.

Deixei os remédios com ela. Todos, exceto o Infermiterol.

Em casa, liguei para um serralheiro, marquei uma reunião com Ping Xi para a tarde seguinte e telefonei para a dra. Tuttle dizendo que não a procuraria pelos próximos quatro meses.

"Espero que nunca mais precise ver a senhora novamente", disse a ela.

"As pessoas me dizem isso o tempo todo", ela respondeu.

Essa foi a última vez que nos falamos.

Sete

"Tem certeza de que não quer mais essas coisas? E se eu alargar alguma roupa e depois você quiser de volta?"
Liguei para Reva e avisei que estava fazendo uma limpa no guarda-roupa. Ela chegou munida de um arsenal de sacolas enormes de diversas lojas de departamento de Manhattan, sacolas que ela claramente guardava para quando precisasse transportar alguma coisa, de modo que as embalagens atestariam seu bom gosto e afirmariam que ela era uma pessoa respeitável, pois havia gastado dinheiro. Eu via babás e empregadas fazerem o mesmo, andando pelo Upper East Side com o almoço embalado em pequenas sacolinhas amassadas da Tiffany ou da Saks Fifth Avenue.
"Não quero ver nenhuma dessas roupas nunca mais", eu disse quando ela chegou. "Quero esquecer que isso tudo existiu um dia. O que você não quiser eu vou doar ou jogar no lixo."
"Mas *tudo* isso?"
Ela parecia criança em loja de doces, metódica e vampiricamente apanhando cada vestido, cada saia, cada blusa, com cabide e tudo. Cada calça de grife, cada lingerie no saquinho, cada par de sapato, exceto o chinelo sujo que eu tinha nos pés.
"Eles *quase* cabem", ela disse, provando um par de Manolo Blahnik novinho em folha. "Dá pra calçar."
Enfiou tudo nas sacolas com a urgência eficiente de quem constrói um castelo de areia ao pôr do sol, enquanto a maré sobe. Como um sonho que a gente sabe que vai acabar. Se eu

for rápida o bastante, talvez não acorde os deuses. O grosso das peças ainda estava com etiquetas.

"É um bom estímulo para continuar a dieta", disse Reva, arrastando as sacolas para a sala de estar. "Atkins, acho. Bacon e ovos pelos próximos seis meses. Penso que consigo, se realmente focar. O médico disse que o aborto não causa nenhuma perda de peso muito brusca, mas eu vou conseguir. Vou pegar o que puder. Caber num trinta e seis é um desafio para quem tem quadris como os meus, você sabe. Tem *certeza* que não vai querer nada disso de volta?" Ela estava alegre, corada.

"Leve as bijuterias também", eu disse, e voltei para o quarto, que agora parecia oco e fresco. Reva era um presente divino. Sua ganância me livraria do peso da minha vaidade. Comecei a garimpar as bijuterias, então decidi entregar a caixa inteira. Ela não perguntou por quê. Talvez achasse que eu estava sonâmbula e que se me questionasse eu podia acordar. Não perturbe a fera adormecida. A raposa branca no congelador de carne.

Desci no elevador com ela, as sacolas pesando em nossas mãos, mas ainda assim parecendo nuvens, o ar do elevador mudando a pressão como se estivéssemos voando numa tempestade. Mas não senti quase nada. Quando saímos, o porteiro segurou a porta pra nós.

"Ah, muito obrigada, é muita bondade sua", disse Reva, subitamente uma lady, graciosa e loquaz. "Você é muito gentil, Manuel. Obrigada."

O nome dele. Nunca me dei ao trabalho de perguntar. Dei quarenta dólares pra ela, para a corrida de táxi até o outro lado da cidade. O porteiro assobiou, chamando um táxi.

"Vou embarcar numa viagem, Reva", disse a ela.

"Reabilitação?"

"Tipo isso."

"Por quanto tempo?" Seus olhos se contraíram muito de leve, mal se recusando a comprar aquela mentira tão óbvia pela imprecisão da minha resposta. Mas o que ela podia fazer? Paguei seu silêncio com roupas da moda, para que ela me deixasse por minha conta.

"Volto no dia 1º de junho", respondi. "Ou talvez um pouco mais pra frente. Eles não deixam a gente ligar pra ninguém. Disseram que é melhor não ter contato com pessoas do passado."

"Nem comigo?" Ela estava sendo educada. Eu tinha certeza de que já estava com a cabeça em outro lugar, num novo embate por amor e admiração com o novo guarda-roupa, com essa armadura vistosa, com a mais brilhante camuflagem. Ela soprou as mãos para aquecê-las e esticou o pescoço em direção ao táxi que se aproximava.

"Boa sorte com o aborto."

Reva assentiu com sinceridade. Acho que nossa amizade terminou naquele momento. O que viria depois seriam só vagas lembranças da coisa chamada *amor* que ela costumava me dar. Ao vê-la partir naquele dia, senti uma espécie de paz. Eu havia custado a ela muita dignidade, mas a recompensa que ela agora depositava no porta-malas do táxi parecia retribuir tudo aquilo. Eu havia sido absolvida. Ela me deu um abraço, beijou meu rosto.

"Estou orgulhosa de você", eu disse. "Sei que vai conseguir superar tudo isso." Quando se afastou, havia lágrimas em seus olhos, talvez só do frio. "Sinto que ganhei na loteria!" Ela estava feliz. Eu a observei através do vidro fumê, sorrindo e acenando enquanto partia.

No bar dos egípcios, peguei dois cafés e um pedaço de bolo de cenoura, comprei todos os sacos de lixo que eles tinham em estoque, depois voltei pra casa e embalei tudo. Cada livro, cada vaso, cada prato e tigela e garfo e faca. Todas as fitas de vídeo, até a coleção de *Jornada nas estrelas*. Eu sabia que devia fazer isso. O sono profundo no qual em breve entraria exigia uma tela completamente em branco para que dele eu saísse renovada. Não queria nada além de paredes brancas, pisos nus, água morna da torneira. Embalei todas as fitas e CDs, o laptop, velas nunca usadas, todas as canetas e lápis, todos os cabos e fios e apitos antiestupro e guias de viagem de lugares para os quais nunca fui. Liguei para o brechó da Associação Judaica de Mulheres e disse que minha tia havia morrido. Uma hora depois, dois caras chegaram com uma van e arrastaram os sacos de lixo de quatro em quatro, primeiro para o corredor, depois para fora da minha vida para sempre. Também levaram a maioria dos móveis, incluindo a mesinha de centro e a cama. Pedi que deixassem o sofá e a poltrona no meio-fio. Só mantive o colchão, a mesa de jantar e uma cadeira dobrável de alumínio com uma almofada cuja capa de linho cinza manchada atirei na boca coletora de lixo. Paft.

O que guardei se limitava a um conjunto de toalhas, duas mudas de lençóis, um edredom, três pijamas, três calcinhas de algodão, três sutiãs, três pares de meias, um pente, uma caixa de sabão em pó, um frasco grande de hidratante Lubriderm. Comprei na Rite Aid uma escova de dente nova e um suprimento de dentifrício, sabonete Ivory e papel higiênico para quatro meses. E suplementos de ferro, vitamina para mulheres, aspirina. Comprei pratos, copos e talheres de plástico.

Instruí Ping Xi a me trazer uma pizza grande de calabresa com queijo extra todo domingo à tarde. Sempre que voltasse à superfície, eu beberia água, comeria uma fatia de pizza, faria alguns abdominais e flexões, alguns agachamentos, algumas estocadas, poria na máquina de lavar a roupa que estava usando, depois botaria na máquina de secar, vestiria a roupa limpa e pegaria outro Infermiterol.

Desse jeito poderia ficar apagada até que meu ano de descanso se encerrasse.

Quando o chaveiro chegou, eu lhe disse para instalar a fechadura nova do lado de fora da porta, de modo que quem estivesse dentro de casa precisasse da chave para sair. Ele não perguntou a razão. Trancada por dentro, minha única saída seria a janela. Pensei que caso eu me jogasse dali sob o efeito do Infermiterol, seria uma morte indolor. Uma morte no apagão. Ou acordaria segura, no apartamento, ou não acordaria. Era um risco que eu correria quarenta vezes, uma a cada três dias. Se quando eu despertasse em junho a vida continuasse não valendo a pena, eu acabaria com ela. Pularia. Esse foi o acordo que fiz comigo mesma.

Antes de Ping Xi chegar, no dia 31 de janeiro, dei uma última caminhada pela rua. O céu estava esbranquiçado, os sons da cidade silenciados pelo barulho do vento batendo no meu ouvido. Eu não estava nostálgica, mas apavorada. Essa ideia de que poderia conquistar uma vida nova dormindo era insana. Absurda. Mas lá estava eu, a caminho do ápice da minha jornada. Até aquele momento, pensei, eu só havia perambulado pela floresta. Agora, no entanto, eu me aproximava da entrada da caverna. Lá de dentro, um cheiro de fumaça indicava uma fogueira acesa. Algo devia ser queimado e sacrificado. O fogo queimaria e se apagaria. A fumaça se dissiparia. Meus olhos se ajustariam à escuridão. Eu ganharia confiança. Quando saísse da caverna, de volta à luz, quando finalmente acordasse, tudo — o mundo todo — seria novo mais uma vez.

Atravessei a East End Avenue e cruzei a passagem forrada de sal pelo parque Carl Schurz em direção ao rio, um amplo canal de obsidiana rachada. A gola do casaco de pele fez cócegas no meu queixo. Lembro disso. Um casal tirava fotos um do outro perto da grade.

"Você se importa de tirar uma pra gente?"

Saquei minhas mãos hesitantes e rosadas do bolso do casaco e segurei a câmera num estado de torpor.

"Se aproximem mais", falei com os dentes batendo. A garota tirou a umidade de seu lábio superior com o dedo enluvado. O homem cambaleou para a frente em seu duro casaco de lã. Pensei em Trevor. No visor, a luz não encontrava o rosto deles, mas iluminava a aura formada pelos cabelos que ricocheteavam ao vento ao redor da cabeça.

"Sorriam", disse. Eles obedeceram.

Quando foram embora, joguei meu celular no rio, voltei pra casa e disse ao porteiro que um asiático baixinho me visitaria regularmente. "Não é meu namorado, mas trate como se fosse. Ele tem a chave. Acesso total", eu disse, depois subi, tomei um banho, vesti o pijama número 1, deitei no colchão do quarto e esperei alguém bater à porta.

"Trouxe um contrato pra você assinar", disse Ping Xi, parado na soleira, uma câmera de vídeo digital portátil na mão. Ele ligou a câmera e a segurou na altura do peito. "Caso algo dê errado ou você mude de ideia. Se importa se eu gravar?"

"Não vou mudar de ideia."

"Sabia que diria isso."

Ele então me encorajou a queimar minha certidão de nascimento para a câmera como uma espécie de ritual. Seu interesse por mim era igual ao seu interesse por aqueles cachorros. Ele era um oportunista, um *stylist*, um produtor de entretenimento, mais que um artista. Embora, como artista, ele claramente acreditasse que a situação em que nos encontrávamos — ele como guardião da minha hibernação, com permissão total para me usar como "modelo" durante meu estado de blecaute — era uma projeção de seu próprio gênio, como se o universo tivesse sido orquestrado de modo a levá-lo a projetos que ele inconscientemente havia previsto para si anos antes. A ilusão da realização fatídica. Ele não estava interessado em compreender a si mesmo ou em evoluir. Só queria chocar as pessoas. E queria que as pessoas o amassem e o desprezassem por isso. Seu público, é claro, nunca ficaria chocado de verdade. Eles só ficariam deliciados com seus conceitos. Ele era um picareta do meio artístico. Mas era bem-sucedido. Sabia como operar aquela máquina. Notei que tinha algo oleoso em seu queixo. Olhei mais de perto: sob uma camada de vaselina, havia um monte de espinhas vermelhas tatuadas.

"Acho que vou fazer uma série de filmagens", ele disse. "Principalmente com essa câmera digital de mão. A imagem fica granulada. Gosto disso."

"Pra mim tanto faz. Desde que esteja sob o efeito da droga, não vou nem lembrar."

Ele prometeu que me trancaria e manteria minha prisão sonífera em segredo, que não deixaria que ninguém o acompanhasse em suas visitas ao meu apartamento, nem um assistente, nem alguém que fosse lá para limpar a casa. Se quisesse levar adereços, móveis ou materiais, que levasse sozinho e, acima de tudo, toda vez que fosse embora, não devia deixar nenhum vestígio de suas atividades. Nenhum recado. Quando eu despertasse no terceiro dia após cada um dos apagões causados pelo Infermiterol, eu não poderia encontrar nenhuma pista, nenhuma peça para juntar. Nem uma sombra sequer de curiosidade poderia sabotar minha missão de limpar minha mente, minhas associações, de renovar e revigorar cada célula do meu cérebro, dos meus olhos, nervos, coração.

"Eu não ia mesmo querer que você soubesse o que estou fazendo. Isso estragaria meu trabalho. Pra mim, o incentivo criativo disso é que você estará constantemente... inocente."

Acho que ele ficou desapontado por eu não ter implorado para saber do que se tratava sua obra. A ideia de que ele pudesse fazer vídeos eróticos não me preocupava. Ele era obviamente homossexual. Eu não corria perigo.

"Desde que eu encontre a casa limpa e você não esteja por aqui quando eu acordar a cada três dias, que eu não morra de fome nem quebre nenhum osso, não me importo com seu trabalho. Você tem carta branca. Só não me deixe sair daqui. Eu também tenho um trabalho importante a fazer. Olho por olho."

"Peito por peito, faria mais sentido", ele disse. "Que tal se a gente queimasse seu passaporte ou fizesse picadinho da sua carteira de motorista?", ele sugeriu. Eu sabia no que ele estava pensando. Estava imaginando como os críticos descreveriam o vídeo. Precisava fornecer material para análises. Acontece que esse projeto ia além de questões de "identidade", "sociedade", "instituições". Meu projeto era uma busca por um novo espírito. Mas eu não ia explicar isso a Ping Xi. Ele ia achar que entendeu. Mas não entenderia. Nem era para entender. E, além do mais, eu precisava da minha certidão de nascimento, do meu passaporte, da minha carteira de motorista. Ao final da hibernação, eu acordaria — assim supunha — e veria minha vida passada como uma herança. Precisaria provar minha antiga identidade para conseguir acessar minhas contas bancárias, para ir aos lugares. Não que eu fosse acordar com outro rosto, outro corpo, outro nome. Por fora, pareceria meu antigo eu.

"Mas isso é trapaça", ele disse. "Se seu plano é sair daqui e voltar a ser a mesma pessoa que é hoje, qual o objetivo?"

"É pessoal", respondi. "Não se trata de uma carteira de identidade. É um trabalho interno. O que você quer que eu faça? Me embrenhe na floresta, construa um forte, saia por aí caçando esquilos?"

"Bem, isso seria um renascimento mais autêntico. Você assistiu algum Tarkovski? Não leu Rousseau?"

"Nasci no privilégio", eu disse. "Não vou jogar isso fora. Não sou idiota."

"Então talvez eu tenha que baixar a qualidade e usar uma super-8. Posso tirar as persianas do quarto?" Ele puxou um documento manuscrito de sua bolsa carteiro.

"Esqueça o contrato", disse. "Não vou te processar. Só não estrague as coisas pro meu lado."

Ping Xi deu de ombros.

Dei a ele a chave da fechadura nova.

"Se eu precisar de alguma coisa, vou deixar um post-it aqui", eu disse, apontando para a mesa de jantar. "Está vendo esta caneta vermelha?"

A cada vez que Ping Xi viesse aqui, ele assinalaria os dias num calendário pendurado na porta do meu quarto. A cada três dias eu acordaria, veria o calendário, comeria, beberia, tomaria banho etc. Eu ficaria apenas uma hora acordada a cada rodada. Fiz as contas: nos próximos quatro meses, cento e vinte dias no total, eu passaria apenas quarenta horas em estado consciente.

"Bons sonhos", disse Ping Xi.

Seu rosto estava pálido, carnudo, um tanto embaçado — talvez fosse a vaselina no queixo —, mas seus olhos eram perspicazes, dissimulados, escuros, penetrantes e, embora compreendesse que ele era um idiota, eu confiava em sua determinação. Ele não me deixaria sair dali. Era vaidoso demais para não cumprir sua palavra e ambicioso demais para abrir mão da minha oferta. Uma mulher fora de si, trancada num apartamento. Fechei a porta na cara dele. Ouvi ele deslizando a chave pela fechadura e trancando a porta.

Tomei o primeiro dos quarenta Infermiterols, entrei no quarto, afofei o travesseiro e deitei.

Três noites depois, emergi em meio ao negror, me arrastei pra fora do colchão, acendi as luzes e entrei na sala de estar esperando encontrar arranhões na porta, evidências de que um animal selvagem havia sido trazido contra sua vontade. Mas não encontrei nada. Ping Xi não tinha nem riscado os dias no calendário. Meu apartamento estava quase irreconhecível naquele vazio oco e limpo. Dava para imaginar uma corretora bem-vestida entrando ali — um lenço floral flutuando feito vela de barco de seu braço erguido enquanto ela exaltava as virtudes daquela unidade habitacional para um casal recém-casado: "Pé-direito alto, madeira, projeto original e silêncio. Daquelas janelas dá até para ver o East River". O tailleur da corretora era amarelo-canário. O casal, imaginei, era aquele que tinha me pedido para tirar foto alguns dias antes, na esplanada. Minha memória tinha tropeçado na imaginação, mas eu sabia o que era o quê. Entendi que três dias se passaram sem a minha participação e que havia um longo caminho pela frente.

Não vi nenhum sinal de Ping Xi até que fui à cozinha: latas de cerveja Pabst Blue Ribbon; papel-alumínio com restos de algo que parecia ter sido um burrito; o *New York Times* do dia 2 de fevereiro. Fiz uma lista das coisas que eu queria num post-it e colei na mesa: "Refrigerante, biscoito de bichinho, antiácido". Embaixo, escrevi: "Leve o lixo pra fora quando for embora! Marque os dias no calendário!". Imaginei que Ping Xi teria vindo para tomar medidas ou conversar ou esboçar planos para algum projeto de vídeo, mas que ainda não havia feito nenhum trabalho de verdade. Era uma impressão.

Peguei uma fatia de pizza da geladeira e comi fria, com os olhos fechados, me balançando de um lado pro outro sob a luz fluorescente que vinha do teto e refletia no chão da cozinha. Eu deveria ter comprado uma daquelas lâmpadas SAD. Quando essa ideia me ocorreu, soou um alarme relegado a um canto tedioso da minha mente me lembrando de tomar minhas vitaminas. Engoli o comprimido com a água acinzentada da torneira. Quando me endireitei, senti uma leve onda de pânico ao pensar naquela fechadura na porta. Se algo acontecesse a Ping Xi, eu poderia morrer aqui, pensei. Mas o pânico passou assim que apaguei a luz da cozinha.

Tomei um banho rápido, botei a roupa na máquina, fiz alguns exercícios, escovei os dentes, peguei um Infermiterol e voltei para o quarto. Por enquanto, nada parecia muito profundo. Tudo era prosaico e prático. Nos instantes em que aguardava minha perda de consciência, imaginei Trevor de joelhos, pedindo sua mais nova amiguinha em casamento. A satisfação consigo mesmo. A estupidez de querer algo "para sempre". Quase senti pena dele, dela. Me ouvi dar risada, depois suspirei enquanto me afastava de volta para o frio.

O segundo despertar aconteceu ao meio-dia. Acordei com o polegar na boca. Quando puxei o dedo pra fora, vi que estava branco e enrugado e que eu sentia uma torção no queixo que lembrava uma cãibra que costumava ter quando fazia boquete. Isso não me alarmou. Levantei alerta e com fome e fui para a cozinha. Ping Xi havia riscado seis dias no calendário e colocado um post-it na geladeira que dizia: "Desculpa!". Abri a geladeira, mordi uma fatia de pizza, tomei minhas vitaminas e bebi uma lata de Schweppes. Dessa vez, a lata de lixo estava vazia, sem saco. Deixei a lata de refrigerante no balcão da cozinha e pensei vagamente em Reva e em seus 7 UPs diet batizados de tequila antes de tomar banho, pentear o cabelo, fazer uns polichinelos etc. Tentei fazer uma nota mental para trocar os lençóis quando acordasse, mandei ver um Infermiterol, deitei, massageei o queixo com os dedos e perdi a consciência.

O terceiro despertar marcou nove dias de clausura doméstica. Quando levantei, podia sentir nos olhos a atrofia do que supus serem os músculos que eu usava para focar objetos à distância. Deixei as luzes baixas. No chuveiro, li o rótulo do xampu e me vi presa às palavras "lauril sulfato de sódio". Cada palavra continha uma série de associações aparentemente interminável. "Sódio": sal, branco, nuvens, gaze, fio, areia, céu, cotovia, corda, gato, garras, ferida, ferro, ômega. Quando acordei pela quarta vez, as palavras me vieram novamente. "Lauril": Shakespeare, Ofélia, Millais, dor, vitrais, reitoria, plug anal, sentimentos, chiqueiro, olhos de cobra, atiçador de brasas. Fechei a torneira, fiz tudo o que tinha que fazer com a roupa etc., peguei um Infermiterol e deitei no colchão. "Sulfato": Satã, ácido, Lyme, dunas, moradias, corcundas, híbridos, samurais, sufragistas, labirintos.

Minhas horas passavam em blocos de três dias. Ping Xi era diligente com o lixo e com o calendário. Certa vez escrevi um post-it dizendo que queria Canada Dry em vez de Schweppes. Outra vez pedi amaciante de roupa. Notei de leve a poeira no peitoril das janelas, os redemoinhos de fiapos e de fios de cabelo entre as frestas das tábuas do assoalho. Deixei um recado: "Varra a casa ou me mande varrer quando eu estiver sonâmbula". Esqueci o nome de Ping Xi, depois lembrei. Passei pelo corredor que levava à porta trancada e a ideia da fechadura me ocorreu vagamente, como se fosse *apenas* uma ideia. A própria porta, apenas a noção de uma porta. "Platão": giz, corrente, Hollywood, Hegel, cartão-postal, daiquiri de banana, brisa, música, estradas, horizontes. Podia sentir a certeza de que havia uma realidade saindo de mim como cálcio escapando dos ossos. Eu estava afogando minha mente na obliquidade. Sentia menos e menos. As palavras me vinham à cabeça e eu as pronunciava mentalmente, depois me aninhava no som delas e me perdia na musicalidade.

"Gengibre": ale, fumo, China, cetim, rosa, espinha, agudos, *babka*, punho.

No dia 19 de fevereiro, me olhei no espelho. Meus lábios estavam rachados, mas eu estava sorrindo. Me ocorreram duas sílabas e anotei num post-it para Ping Xi: "ba-tom".
"Bálsamo": morango, linóleo, escala de pagamento, sorvete, poodle.
E então, outro post-it: "Obrigada".

No dia 25 de fevereiro, percebi de imediato que havia algo diferente. Não acordei esparramada no colchão do quarto, mas no chão, enrolada numa toalha, no canto da sala de estar onde antes ficava minha mesa.
Senti um cheiro de gás e a associação com fogo me alarmou, então levantei e fui até o fogão. Só depois lembrei que era elétrico. Talvez, pensei, o cheiro fosse do meu próprio suor. Relaxei.
Abri a geladeira, fiquei em frente à luz amarelada e comi meu pedaço de pizza. Minhas glândulas salivares a princípio estavam hesitantes, mas depois aceitaram a pizza, e ela parecia melhor do que na minha lembrança. Tirei pijamas limpos da secadora e me vesti no corredor. Cheirei o ar mais uma vez e reconheci claramente o odor de aguarrás. Vinha do quarto. A porta estava trancada.
Bati.
"Oi?"
Pressionei o ouvido contra a porta, mas só pude escutar minha própria respiração, o piscar dos meus olhos, minha boca se enchendo de saliva, o eco na minha garganta engolindo a saliva.
Tomei minhas vitaminas mas não tomei banho.
Naquele dia, quando engoli o Infermiterol, imaginei as pinturas de Ping Xi. Elas pipocaram na minha cabeça como lembranças. Eram todos "nus adormecidos", camas desarrumadas e emaranhados de membros pálidos e cabelos loiros, sombras azuis nas dobras dos lençóis, pôr do sol refletido sobre uma

parede branca. Em todas as pinturas, meu rosto estava escondido. Pude enxergá-los mentalmente — pequenos óleos em telas pré-emolduradas baratas ou em pequenos painéis. Os retratos eram ingênuos e não muito bons. Isso era o de menos. Ele podia vender por centenas de milhares de dólares e dizer que eram críticas autoconscientes da institucionalização da pintura, talvez até um trabalho sobre a objetificação do corpo feminino ao longo da história da arte. "A escola não é para artistas", eu podia ouvi-lo dizer. "A história da arte é fascismo. Essas pinturas são sobre tudo aquilo para o qual não despertamos enquanto lemos os livros que nossos professores nos mandam. Estamos todos dormindo, como uma lavagem cerebral num sistema que não dá a mínima para quem realmente somos. Essas pinturas são *deliberadamente* entediantes." Ele achava essa ideia original? Eu jamais conseguiria lembrar de ter posado para aquelas pinturas, mas sabia que, se estivesse no pico do Infermiterol, então devia estar só fingindo que dormia.

Peguei um Infermiterol, deitei no chão da sala, dobrei uma toalha lavada e a pus sob a cabeça à guisa de travesseiro e voltei a dormir.

Ao longo do mês seguinte, quando acordava, minha mente estava cheia de cores. O apartamento começou a me parecer menos cavernoso. Uma dia acordei e vi que meu cabelo estava cortado como o de um menino e que havia longos fios loiros no fundo do vaso sanitário. Me imaginei sentada no vaso com uma toalha sobre os ombros, Ping Xi em pé, cortando meu cabelo. Me olhei no espelho, eu parecia ousada e alegre. Achei que tinha ficado bom. Escrevi recados pedindo frutas frescas, água mineral, salmão grelhado de "um bom restaurante japonês". Pedi uma vela para queimar enquanto tomava banho. Durante esse período, minhas horas de vigília passaram doce e amorosamente, ia me reacostumando a um sentimento de

extravagância aconchegante. Ganhei um pouco de peso, de modo que, quando deitei no chão da sala, os ossos não doeram. Meu rosto ficou menos anguloso. Pedi flores. "Lírios." "Estrelítzias." "Margaridas." "Um galho de amentos." Fiz uma corrida parada, levantamento de pernas, flexões. Era cada vez mais fácil passar o tempo entre acordar e dormir novamente.
No fim de maio, no entanto, senti que logo começaria a ficar agitada. Um presságio. O som dos pneus contra o asfalto molhado. Uma janela estava aberta, por isso pude ouvir. O cheiro doce da primavera penetrou em casa. O mundo ainda estava lá fora, mas não o via havia meses. Era excessivo considerar tudo aquilo que se estendia como um planeta circular coberto de criaturas e de coisas crescendo, tudo girando lentamente num eixo criado — pelo quê? Por um acidente estranho? Parecia inverossímil. O mundo poderia tanto ser plano como redondo. Quem poderia provar se era de um jeito ou de outro? Com o tempo eu entenderia, disse a mim mesma.

No dia 28 de maio acordei sabendo que era a última vez que executaria minhas purificações habituais e tomaria o Infermiterol. Havia apenas um comprimido. Engoli e rezei por misericórdia.
A luz dos carros que passavam se infiltrou pelas persianas, atravessando as paredes da sala com listras amarelas uma, duas vezes. As tábuas do assoalho emitiram um rangido curto, como de um barco manobrando subitamente numa tempestade. Um zumbido no ar sinalizou a onda que se aproximava. O sono estava vindo me buscar. Eu já conhecia o som que ele fazia quando se aproximava, a nuvem de fumaça do espaço morto que me deixava no piloto automático enquanto meu eu consciente vagava como um peixinho dourado. O som aumentou até ficar quase ensurdecedor, depois parou. Nesse silêncio, comecei a ficar à deriva rumo à escuridão, descendo a princípio

tão devagar e com tanta firmeza que senti que estava sendo levada para baixo em roldanas — puxadas por anjos, cordas de ouro em volta do meu corpo, imaginei. E depois aquele dispositivo elétrico para descer caixões, o mesmo que usaram no enterro do meu pai e da minha mãe, então meu coração se acelerou diante desse pensamento, lembrando que um dia eu tive pais e que eu havia tomado a última pílula e que portanto esse era o fim de algo, e então as cordas pareciam se soltar e desci mais rápido. Meu estômago revirou e suei frio e comecei a me contorcer, primeiro agarrando a toalha embaixo de mim para desacelerar a queda, depois de um jeito mais descontrolado porque isso não funcionou e comecei a cair como Alice na toca do coelho ou como a Elsa Schneider desaparecendo no abismo infinito em *Indiana Jones e a última cruzada*. A névoa cinzenta obscureceu minha visão. Será que cruzei o Grande Selo? O mundo estava desmoronando? Calma, calma, disse a mim mesma. Podia sentir a gravidade me sugando mais fundo, acelerando o tempo, a escuridão ao redor se ampliando até que eu estivesse num outro lugar, em algum lugar sem horizonte, uma área do espaço que me impressionou em sua eternidade e me senti calma por um instante. Então percebi que estava flutuando sem amarras. Tentei gritar, não consegui. Estava com medo. O medo parecia desejo: de repente eu queria voltar para todos os lugares a que já fora, todas as ruas por onde havia andado, todos os quartos em que havia ficado. Queria ver tudo de novo. Tentei lembrar da minha vida, repassei polaroides na cabeça. "Era tão bonito. Era interessante!" Mas eu sabia que, mesmo que pudesse voltar exatamente para aqueles momentos, na vida ou nos sonhos, na verdade não faria sentido. E foi aí que me senti desesperadamente sozinha. Estendi o braço e agarrei alguém — talvez fosse Ping Xi, talvez fosse uma vigília fora de mim —, e essa outra mão me estabilizou de alguma forma quando eu passava por galáxias inteiras, ondas de luz pulsando por meu corpo, me cegando cada vez mais, meu cérebro pulsando com a pressão, meus olhos vazando como se cada lágrima derramasse uma imagem do meu passado. Senti as gotas escorrendo pelo pescoço. Eu estava chorando. Sabia disso. Podia me ouvir ofegando e gemendo. Me concentrei no som e, em seguida, o universo se estreitou numa linha fina, e me senti melhor porque havia uma trajetória mais clara, então viajei com mais calma pelo espaço sideral, ouvindo o ritmo da minha respiração, cada respiração um eco da respiração anterior, mais suave e suave, até que eu estava longe o bastante para que não houvesse som, não houvesse movimento. Não havia necessidade de reafirmação ou direcionamento porque eu não estava em lugar nenhum, não estava fazendo nada. Eu não era nada. Eu fui embora.

No dia 1º de junho de 2001, acordei sentada, de pernas cruzadas, no chão da sala de estar. A luz do sol atravessava as persianas, iluminando pontos entrecruzados de poeira amarela que turvavam e diminuíam quando eu cerrava os olhos. Ouvi um pássaro piando.
Eu estava viva.

Conforme eu havia pedido lá em janeiro, Ping Xi deixou uma muda de roupa na mesa de jantar: um tênis, uma camiseta, uma calça de moletom e um casaco com capuz. Meus cartões de crédito e a carteira de motorista, o passaporte, a certidão de nascimento e mil dólares em dinheiro estavam no envelope que eu tinha lacrado e pedido para ele guardar. Havia uma garrafa de Evian, uma maçã num saco plástico do mercadinho e uma amostra de filtro solar Neutrogena — um gesto atencioso. Ele retirou todos os post-its da mesa, o que gostei, mas depois encontrei todos amontoados no lixo, como um buquê de margaridas jogado fora. Peguei um deles e li: "Não esqueça: roupas, sapatos, o envelope, chaves. Compre um protetor solar, por favor". E outro: "Obrigado, boa sorte". Um rosto sorridente.

Meu velho casaco de pele branco estava pendurado no gancho ao lado da porta da frente. Um post-it na parede dizia: "Quando te dei este casaco foi porque eu queria que você ficasse com ele. Vou sentir saudade de trabalhar com você. PX".

A porta estava destrancada.

Botei roupa, vesti o casaco, desci o elevador até o saguão e fui trôpega em direção à luz que explodia pelas portas de vidro, vinda da rua.

"Moça?", ouvi o porteiro dizer. "Está me ouvindo?" Então o farfalhar duro da calça de seu uniforme quando ele se agachou e segurou minha cabeça. Eu não tinha percebido que ia cair.

Alguém me trouxe um copo d'água. Uma mulher pegou na minha mão e me sentou numa poltrona de couro no saguão. O porteiro me deu o sanduíche de salada de ovo que ele guardava para o almoço numa sacolinha de papel pardo.

"Tem alguém para quem a gente possa ligar?"

As pessoas eram tão legais.

"Não, não tem ninguém. Obrigada. Só tive uma tontura súbita."

Levou mais uma semana até eu ter forças para sair de casa e andar até o fim do quarteirão. No dia seguinte, fui até a Segunda Avenida. No outro, até a Lexington. Comi sanduíches de salada de ovo prontos de uma delicatéssen na rua 87 Leste. Sentei por horas num banco do parque Carl Schurz e vi cachorrinhos minúsculos brincando numa área cercada de azulejos, os donos se escondendo do sol e digitando no celular. Um dia, encontrei uma coleção de livros largada no meio-fio na rua 77 Leste e peguei, levei para casa e li todos eles de capa a capa. Um versava sobre o hábito de dirigir embriagado nos Estados Unidos. Outro eram receitas indianas. *Guerra e paz*, *Mao II*, *Italiano para idiotas*. Um livro interativo desses de completar as frases que preenchi com as palavras mais simples que conseguia pensar. Passei os dias assim por quatro ou cinco semanas. Não comprei celular. Me livrei do colchão velho. Todo dia, às nove, deitava no chão de madeira lisa, me espreguiçava, soltava um bocejo e não tinha nenhuma dificuldade em dormir. Não tinha sonhos. Era um animal recém-nascido. Levantava junto com o sol. Só andava até a rua 68.

Em meados de junho, ficou quente demais para o conjunto de moletom que Ping Xi havia me deixado. Comprei um pacote de calcinhas brancas de algodão e um sapato de plástico na loja de 1,99 da rua 108. Gostei de lá, era quase o Harlem. Caminhava lentamente pra cima e pra baixo pela Segunda Avenida em shorts de ginástica vermelhos ou azuis e camisetas folgadas de academia. Peguei o hábito de comprar uma caixa de sucrilhos nos egípcios toda manhã. Dava um punhado de sucrilhos aos esquilos do parque. Não tomava café.

Descobri o brechó da Cruz Vermelha da rua 126. Gostava de ver as coisas que as pessoas tinham doado. Talvez a fronha que eu estava cheirando tivesse forrado o leito de morte de um velho. Talvez essa luminária tenha passado cinquenta anos na mesinha de canto de um apartamento. Dava para imaginar todas as cenas que ela havia iluminado: um casal transando no sofá, milhares de jantares em frente à televisão, birras de um bebê, o brilho do uísque em um copo da Elks Lodge. Foi assim que mobiliei meu apartamento de novo. Um dia levei ao brechó o casaco de pele de raposa branco e o entreguei ao adolescente que recebia doações na porta que ficava na esquina da entrada. Ele pegou o casaco calmamente, perguntou se eu queria um recibo. Observei suas mãos alisarem a pele, como se avaliasse o valor. Será que ia roubar e dar para a namorada ou para a mãe? Eu bem que queria que ele fizesse isso, mas então ele jogou o casaco numa enorme caixa azul.

Em agosto comprei um radinho de pilha e passei a levá-lo comigo ao parque todos os dias. Escutava estações de jazz. Não sabia o nome de nenhuma música. Os esquilos vinham até mim assim que eu tirava o pacote de sucrilhos da sacola. Eles comiam diretamente da palma da minha mão, suas patinhas pequenas e escuras pegando os flocos de cereal, as bochechas se inflando. "Seus porcalhões!", eu dizia. Eles pareciam perturbados com a música que saía do meu radinho. Deixava bem baixo quando dava comida pra eles.

Não pensei muito em Ping Xi até encontrar Reva. Liguei pra ela no dia 19 de agosto, do celular do porteiro. Apesar de todo o sono e esquecimento, eu ainda sabia o número de cor e reconheci a data de seu aniversário no calendário.

Ela veio no domingo seguinte, nervosa e cheirando a um perfume novo que lembrava aquelas balas de goma em formato de minhoca, não disse nada sobre o estranho sortimento de móveis e itens decorativos da casa ou sobre meu desaparecimento de seis meses, sobre não ter celular, sobre as pilhas de livros mofados que revestiam a parede da sala de estar. Só disse: "Bom, acho que faz um tempo que a gente não se vê", sentou onde apontei, no tapete do brechó da Cruz Vermelha que eu havia espalhado pelo chão como uma toalha de piquenique, e falou sobre seu novo cargo na empresa. Descreveu seu chefe como "um capacho da CIA", revirando os olhos e enfatizando certos termos técnicos ao descrever suas tarefas. No começo eu não conseguia distinguir se eram eufemismos para posições sexuais. Tudo nela parecia perturbadoramente pornográfico — a base fosca, os lábios escuros e contornados, aquele perfume, a quietude equilibrada de suas mãos. "Soluções inovadoras." "Anatomia da violência no local de trabalho." "Objetivos fortes." Seu cabelo estava preso num coque solto, meus minúsculos brincos de pérola brotavam de suas orelhas feito gotas de leite perversas e inocentes ao mesmo tempo, pensei. Ela também usava minha blusa branca de laise e uma calça jeans que eu tinha dado pra ela. Não senti saudade ou nostalgia daquelas roupas. A bainha do jeans estava gasta e alguns centímetros mais longa que a perna de Reva. Pensei em sugerir que ela fizesse a bainha com um profissional. Tinha um lugar que fazia isso na rua 83.

"Acabei de ler essa matéria na *New Yorker*", ela disse, tirando a revista enrolada de sua bolsa enorme. O título era "Ruim de matemática" e falava de um adolescente de origem chinesa em Cleveland que tinha bombado no exame de conclusão do fundamental e depois havia pulado do segundo andar da escola onde estudava e tinha quebrado as duas pernas. Depois disso, o orientador pedagógico da escola pressionou os pais dele a fazer terapia de família e eles fizeram uma declaração de amor pro garoto no estacionamento de um supermercado. Todos choraram, se ajoelharam, os outros clientes passavam e fingiam que nada estava acontecendo. "Escuta só como eles abrem a matéria", disse Reva. "Foi a primeira vez que eles disseram 'eu te amo'. Acho que aquilo doeu mais do que as fraturas na minha canela e no fêmur."

"Continua", eu disse. A matéria era super mal escrita. Reva leu em voz alta.

Enquanto eu escutava, Ping Xi surgiu em minha mente. Imaginei seus olhos pequenos e escuros olhando pra mim e se cerrando, um beliscão enquanto sua mão suja de tinta, esticada e segurando um pincel, media minhas proporções. Mas isso era tudo o que eu conseguia me lembrar. Ele me parecia uma criatura reptiliana, meio que sem coração, alguém posto no planeta para despertar reações fortes em gente parecida com ele, gente que se distrai com dinheiro e conversa em vez de se entregar com unhas e dentes ao mundo ao seu redor. Raso, acho que é isso. Mas havia gente pior na Terra.

"Estudei por meses para o exame." Reva leu a matéria inteira. Demorou pelo menos meia hora. Eu sabia que ela só estava tentando preencher o vazio até que desse um tempo razoável e ela pudesse me deixar para sempre. Pelo menos era o que parecia. Não posso dizer que sua distância não tenha doído. Mas confrontá-la sobre isso seria cruel. Eu não tinha o direito de exigir nada. Senti que ela não estava nem um pouco interessada em me ouvir falar de "reabilitação" ou do que quer que ela tenha imaginado que eu tivesse feito esse tempo todo. Observei sua boca se movendo, cada pequena ruga no contorno dos lábios, a covinha discreta na bochecha esquerda, seus olhos tristes em formato de lua.

"Um pedaço de couve-chinesa seca ficou preso na borda da lata do lixo", ela leu. Balancei a cabeça, tentando fazer com que se sentisse mais à vontade. Quando ela terminou, suspirou e pegou um chiclete da bolsa.

"É de partir o coração, né? O jeito como certas culturas conseguem ser tão frias?"

"É de partir o coração, sim", respondi.

"Eu realmente me identifico com o menino chinês", ela disse, enrolando a revista.

Estendi a mão por entre suas pernas dobradas e puxei a revista que ela segurava firme, como um cabo de guerra. Não queria que ela fosse embora. O clarão branco da luz do teto brilhou através de sua clavícula. Ela era linda, com todos seus nervos e todos seus sentimentos, contradições e medos complicados e tortuosos. Esta seria a última vez que eu a veria pessoalmente.

"Eu *te amo*", eu disse.

"Eu também te amo."

Os vídeos e pinturas de Ping Xi foram exibidos na Ducat no fim de agosto. A exposição se chamava *Retratos pretensiosos de uma mulher bonita*. Ou ele ou Natasha me mandaram recortes das críticas. Nenhum bilhete. Os retratos da exposição não correspondiam ao que eu lembrava ter imaginado nos dias em que estive com ele no quarto. Esperava uma série de nus pintados com displicência. Em vez disso, Ping Xi havia me pintado no estilo das xilogravuras de Utamaro, vestindo quimonos neons com estampas de flores tropicais e beijos de batom e logos da Coca-Cola, Pennzoil, Chanel e vodca Absolut. Em todos os quadros, minha cabeça era enorme. Em alguns retratos, Ping Xi colou meu cabelo de verdade. No *Artforum*, Ronald Jones me chamou de "ninfa inchada com olhos de defunto". Phyllis Braff massacrou a exposição no *New York Times*, dizendo que era "fruto da luxúria edípica". O *ArtReview* disse que as obras eram "decepcionantes, como era de esperar". Fora isso, as críticas foram positivas. Nos vídeos, eu falava diretamente para a câmera e parecia narrar algumas histórias pessoais — apareço chorando em um deles —, mas Ping Xi inseriu outro áudio no lugar. No lugar da minha voz, o que se ouvia eram longas mensagens bastante furiosas que a mãe de Ping Xi havia deixado para ele em cantonês. Sem legendas.

Fui ao Met numa tarde, no começo de setembro. Acho que queria ver o que outras pessoas fizeram da vida delas, pessoas que fizeram arte sozinhas, que observaram tigelas de fruta longa e arduamente. Me perguntei se elas viam as uvas murcharem e perderem o frescor, se tinham que ter ido ao mercado para repor algumas delas e se antes de jogarem fora os cachos retorcidos não comiam algumas. Espero que tivessem algum respeito pelas coisas que imortalizavam. Pensei que, talvez, quando a luz do dia fosse embora, elas atirassem aquela fruta apodrecida pela janela, esperando que isso pudesse salvar a vida de um mendigo faminto que por ali passasse. Então imaginei esse mendigo, um monstro com vermes rastejando por seu cabelo emaranhado, os trapos esfarrapados que cobriam seu corpo tremulando como as asas de um pássaro, os olhos queimando em desespero, o coração de um animal enjaulado implorando por uma matança, as mãos em concha em perpétua oração conforme os habitantes do vilarejo se amontoavam ao redor da praça. Picasso estava certo quando começou a pintar os melancólicos e desalentados. Os azuis. Ele olhou para sua própria desgraça. Eu respeitava isso. Mas esses pintores de frutas só pensavam em sua própria mortalidade, como se a beleza de seu trabalho de algum modo pudesse aplacar seu medo da morte. Lá estavam elas, penduradas. Insignificantes e cândidas e sem sentido. Pinturas de coisas, objetos. As próprias pinturas sendo apenas coisas, objetos rumo à inevitável morte.

    Tive a sensação de que, se eu virasse as molduras de costas, veria os artistas me observando como em um espelho de mão dupla, estalando suas articulações artríticas e esfregando o queixo barbeado, pensando no que eu estaria pensando deles, se eu percebia seu brilhantismo ou se sua vida foi inútil, se ao menos Deus pudesse julgá-los no fim. Eles queriam mais? Havia mais gênio a ser espremido dos trapos de terebintina a seus pés? Eles poderiam ter pintado melhor? Poderiam ter pintado com mais generosidade? Com mais clareza? Poderiam ter jogado mais fruta pela janela? Eles sabiam que a glória era mundana? Será que, olhando em retrospecto, não prefeririam ter esmagado aquelas uvas murchas entre os dedos e passado os dias caminhando pelos campos ou se apaixonando ou confessando suas ilusões a um padre ou morrendo de fome como as almas famintas que eram, implorando por esmolas na praça do vilarejo com uma honestidade inédita? Talvez tivessem vivido do jeito errado. Pode ser que a grandeza os tenha envenenado. Será que se perguntavam tudo isso? Talvez não conseguissem dormir à noite. Será que foram atormentados por pesadelos? Talvez eles de fato tenham entendido que beleza e significado não tinham nada a ver. Talvez tenham vivido como verdadeiros artistas, sabendo o tempo todo que não havia nenhum portão cravejado de pérolas. Nem a criação nem o sacrifício podem te alçar aos céus. Ou talvez não. Talvez de manhã eles estivessem indiferentes e felizes em se distrair com seus pincéis e óleos, em misturar suas cores e fumar seus cachimbos e voltar para suas naturezas-mortas agora frescas, sem precisar afastar as moscas.

"Volte, por favor", ouvi um guarda dizer.

Eu estava muito perto da pintura.

"Afaste-se!"

A ideia de como seria meu futuro de repente veio à tona: ele ainda não existia. Eu estava criando o futuro ali, parada, respirando, fixando o ar ao redor do corpo com calma, tentando capturar algo — um pensamento, suponho — como se isso fosse possível, como se eu acreditasse na ilusão descrita naquelas pinturas — que o tempo podia ser contido, mantido em cativeiro. Eu não sabia o que era verdade. Por isso não recuei. Em vez disso, ergui minhas mãos. Toquei a moldura. Em seguida coloquei minha mão inteira na superfície seca e retumbante da tela, só para provar a mim mesma que não havia um Deus espreitando minha alma. O tempo não era imemorial. As coisas eram apenas *coisas*. "Senhora!", o guarda gritou, e então mãos seguraram meus ombros, me puxaram para o lado. Mas foi só isso que aconteceu.

"Desculpa, eu fiquei tonta", expliquei.

Foi isso. Eu estava livre.

No dia seguinte, o advogado imobiliário enviou uma nota manuscrita dizendo que havia uma oferta para a casa dos meus pais. "Dez mil dólares abaixo do que pedíamos, mas acho melhor aceitar. Vamos investir esse dinheiro em ações. Seu celular parece não estar funcionando já faz algum tempo."

Levei a carta comigo em uma caminhada no Central Park. A umidade do vento morno carregava uma mistura de suor, sujeira e fuligem da cidade com a exuberante fragrância inebriante da grama e das árvores. As coisas estavam vivas. A vida zumbia entre cada tom de verde, dos pinheiros sombrios e das samambaias maleáveis ao musgo verde-limão crescendo em uma enorme rocha cinzenta seca. Espinheiros-da-virgínia e ginkgos ardiam em amarelos. O que havia de covarde na cor amarela? Nada.

"Que pássaro é esse?", ouvi uma criança perguntar à sua jovem mãe, apontando para um pássaro que parecia um corvo psicodélico. Suas penas eram pretas furta-cor, um arco-íris refletido na escuridão reluzente, olhos brancos e vivos, vigilantes.

"Uma iraúna-do-norte", respondeu a mulher.

Respirei, caminhei, me sentei num banco e observei uma abelha zanzando sobre as cabeças de um bando de adolescentes que passavam. Havia majestade e graça no ritmo dos galhos ondulantes dos salgueiros. Havia delicadeza. A dor não é a única pedra de toque para o crescimento, disse a mim mesma. Meu sono tinha funcionado. Estava branda e calma e sentia as coisas. Isso era bom. Essa é a minha vida agora. Podia sobreviver sem a casa. Entendi que logo seria o depósito de memórias de outra pessoa, e isso era lindo. Eu podia seguir em frente.

Encontrei um telefone público na Segunda Avenida.

"Tudo bem", eu disse na secretária eletrônica do advogado. "Venda. E diga aos novos donos para jogar fora tudo o que estiver no sótão. Não preciso de nada daquilo. Só me envie o que eu tiver para assinar."

Então liguei para Reva. Ela respondeu no quarto toque, ofegante e tensa.

"Estou na academia", ela disse. "A gente pode conversar mais tarde?"

Nunca o fizemos.

Oito

No dia 11 de setembro, saí para comprar uma televisão e um videocassete novos na Best Buy para poder gravar a cobertura dos aviões colidindo com as Torres Gêmeas. Trevor estava em lua de mel em Barbados, soube mais tarde, mas Reva estava perdida. Reva já era. Naquele dia, assisti a fita várias vezes para me acalmar. E continuo assistindo em tardes solitárias ou em qualquer momento que duvido que a vida valha a pena ou quando preciso de coragem ou quando estou entediada. Cada vez que vejo aquela mulher pular do septuagésimo oitavo andar da Torre Norte — um sapato de salto deslizando e pairando sobre ela, o outro preso no pé como se fosse pequeno demais, a blusa aberta, o cabelo ao vento, membros rígidos conforme ela cai com um braço erguido, como se fosse mergulhar num lago de verão —, sou tomada pelo terror, não porque ela se pareça com Reva, e acho que de fato é ela, quase igual a ela, e não porque Reva e eu fôssemos amigas ou porque nunca mais a verei, mas porque ela é linda. Lá está ela, um ser humano, mergulhando no desconhecido, e ela está bastante acordada.

My Year of Rest and Relaxation © Ottessa Moshfegh, 2018. Originalmente publicado por US PUBLISHER. Direitos de tradução por MB Agencia Literaria S. L. e The Clegg Agency, Inc., Estados Unidos. Todos os direitos reservados.

Todos os direitos desta edição reservados à Todavia.

Grafia atualizada segundo o Acordo Ortográfico da Língua Portuguesa de 1990, que entrou em vigor no Brasil em 2009.

capa
Marcelo Cipis
composição
Jussara Fino
preparação
Adriane Piscitelli
Maria Emilia Bender
revisão
Jane Pessoa
Valquíria Della Pozza

8ª reimpressão, 2024

Dados Internacionais de Catalogação na Publicação (CIP)

Moshfegh, Ottessa (1981-)
    Meu ano de descanso e relaxamento / Ottessa Moshfegh ; tradução Juliana Cunha. – 1. ed. – São Paulo: Todavia, 2019.

    Título original: My Year of Rest and Relaxation
    ISBN 978-65-80309-06-1

    1. Literatura americana. 2. Romance. 3. Ficção contemporânea. I. Cunha, Juliana. II. Título.

CDD 813

Índice para catálogo sistemático:
1. Literatura americana : Romance 813

Bruna Heller — Bibliotecária — CRB 10/2348

todavia
Rua Luís Anhaia, 44
05433.020 São Paulo SP
T. 55 11. 3094 0500
www.todavialivros.com.br

fonte
Register*
papel
Pólen natural 80 g/m²
impressão
Geográfica